문장 쓰기가 쉬워지는 초등 영문법

Grammar CLEAR

Starter 1

문장 쓰기가 쉬워지는 Grammar CLEAR Starter

- 처음 배우는 문법을 잘 이해할 수 있도록 쉽고 간결하게 설명했어요.
- 4단계 문장 트레이닝으로 문장 쓰기가 쉬워져요.
- 수행평가와 서술형 유형까지 대비할 수 있어요.
- 워크북으로 혼자서도 복습이 가능해요.

학습자의 마음을 읽는 동아영어콘텐츠연구팀

동아영어콘텐츠연구팀은 동아출판의 영어 개발 연구원, 현장 선생님,
그리고 전문 원고 집필자들이 공동연구를 통해 최적의 콘텐츠를 개발하는 연구조직입니다.

원고 개발에 참여하신 분들

강남숙 홍미정 홍석현

교재 기획에 도움을 주신 분들

강선이 김선희 김효성 박지현 이지혜 정나래 조수진 한지영

Grammar CLEAR Starter 1

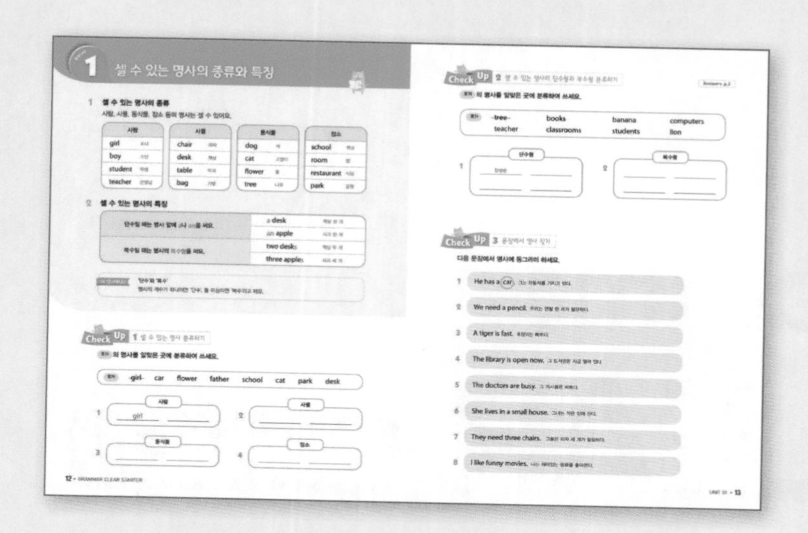

Point & Check Up

- **Point**

  문법 개념을 하나씩 쪼개 핵심 포인트를 쉽고 간단하게 설명합니다.

- **Check Up**

  문법 개념을 잘 이해했는지 바로 확인해 보며 문장 쓰기로 들어가기 전 기초를 다집니다.

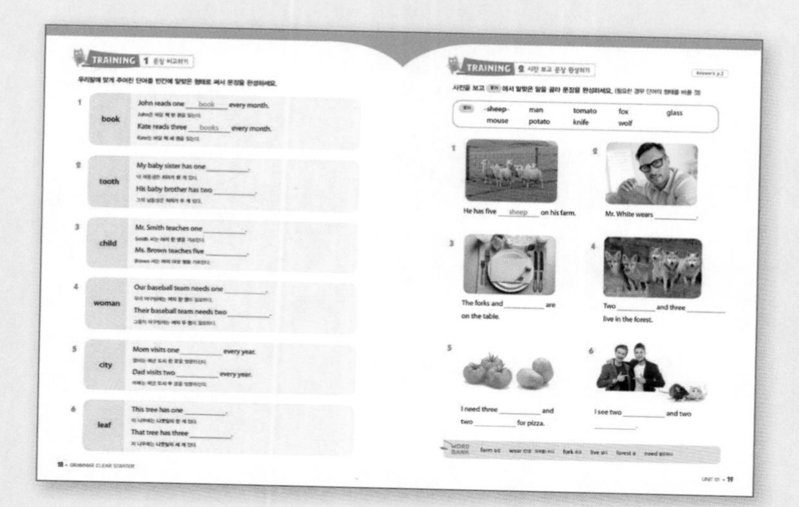

난이도별로 구성된 체계적인 4단계 문장 연습을 통해 문법을 활용한 문장 쓰기가 쉬워집니다.

TRAINING 1

두 문장의 의미나 형태를 비교해 보면서 핵심이 되는 문법 개념을 쉽게 이해할 수 있습니다.

TRAINING 2

그림이나 사진을 보면서 학습한 문법 개념을 적용하여 문장을 완성해 봅니다.

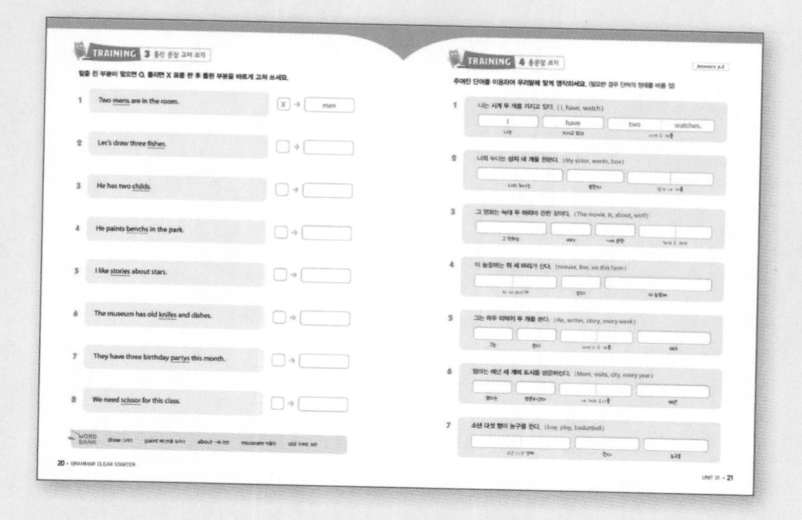

TRAINING 3

틀린 부분을 고쳐 쓰거나 문장을 바꿔 쓰면서 문장을 정확하게 쓰는 훈련을 합니다.

TRAINING 4

통문장을 써 보는 단계로, 영어 어순대로 우리말이 제시되어 있어 쉽게 문장 쓰기를 연습할 수 있습니다.

이 책은 이렇게 구성되어 있어요!

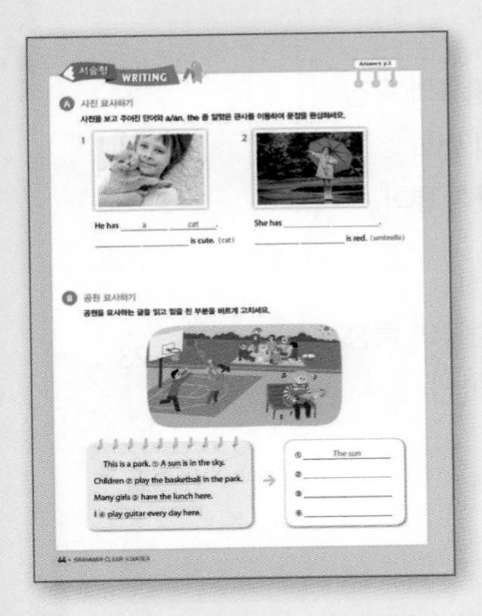

서술형 WRITING

학습한 문법 개념을 적용하여 다양한 유형의 서술형 문제들을 풀어 봅니다. 짧은 글 완성하기, 그림 묘사하기, 도표 보고 답하기 등의 유형을 통해 학교 시험 및 수행평가에 대비할 수 있습니다.

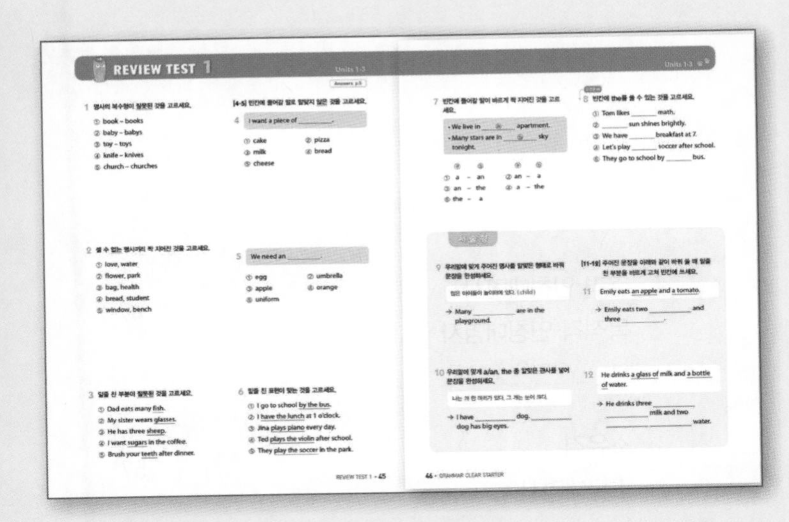

REVIEW TEST

연관된 3-5개의 Unit을 학습한 후 객관식과 서술형으로 구성된 학교 시험 유형의 문제를 풀며 배운 내용을 총정리할 수 있습니다.

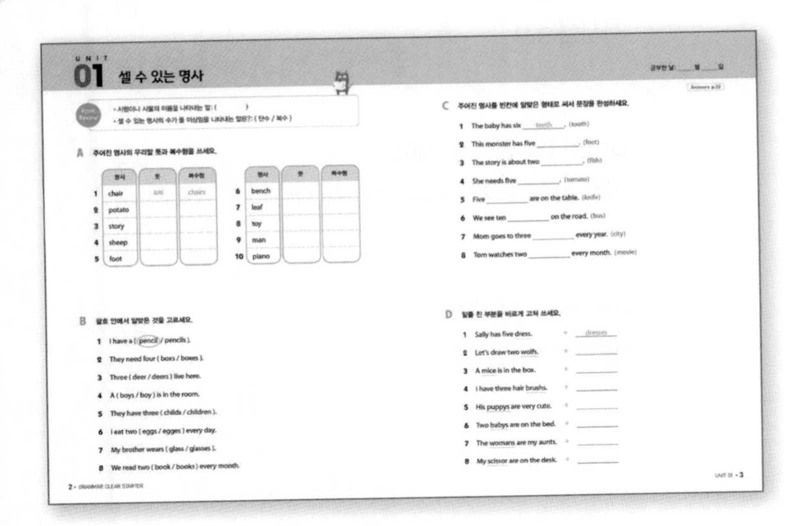

+ Workbook

본책에서 학습한 내용을 스스로 복습할 수 있도록 간단한 패턴 드릴 문제들로 구성되어 있습니다.

이 책은 이런 순서로 공부해요!

*2권 차례

단어와 문장

1 단어

단어는 뜻을 가진 말의 가장 작은 단위예요. 알파벳들이 모여서 뜻을 가지는 하나의 단어를 만들어요.

love 사랑하다	I 나	music 음악

2 문장

단어를 일정한 순서로 나열하면 문장을 만들 수 있어요. 단어가 홀로 있거나, 여러 단어가 완전한 의미를 나타내지 않으면 문장이 될 수 없어요.

I love music. 나는 음악을 사랑한다.

3 문장을 만드는 기본 규칙

(1) 문장의 첫 글자는 항상 대문자로 시작해요.

She is cute. (○) she is cute. (×) 그녀는 귀엽다.

(2) 문장 끝에는 반드시 마침표(.)나 물음표(?) 또는 느낌표(!)와 같은 문장 부호를 써요.

He is sad. (○) He is sad (×) 그는 슬프다.
Is he sad? (○) Is he sad (×) 그는 슬프니?

A 단어와 문장 구별하기

	단어	문장
1 cute	☐	☐
2 I love soccer.	☐	☐
3 run	☐	☐
4 I like him.	☐	☐

B 올바른 문장 선택하기

1 ⓐ she is pretty.
ⓑ She is pretty.

2 ⓐ I love soccer.
ⓑ I love soccer

Quiz ① 정답 A 1. 단어 2. 문장 3. 단어 4. 문장 B 1. ⓑ 2. ⓐ

품 사

품사란 단어를 성격에 따라 나눠 놓은 것을 말해요. 영어에서는 단어를 8가지로 분류해요.

명 사

이름 **명**(名)

사람이나 사물 등의 이름을 나타내는 말이에요.

- **boy** 소년
- **apple** 사과
- **tiger** 호랑이

대 명 사

대신할 **대**(代)

명사를 대신하는 말이에요.

- **a boy** → **he** 그
- **an apple** → **it** 그것
- **tigers** → **they** 그것들

동 사

움직일 **동**(動)

사람이나 사물의 움직임이나 상태를 나타내는 말이에요.

- **run** 달리다
- **study** 공부하다
- **eat** 먹다

형 용 사

모양 **형**(形) 얼굴 **용**(容)

사람이나 사물의 모습이나 성질 등을 묘사하는 말이에요.

- **long** 긴
- **small** 작은
- **cute** 귀여운

Quiz ②

알맞은 품사 선택하기

		명사	대명사	동사	형용사
1 eat	먹다	☐	☐	☐	☐
2 apple	사과	☐	☐	☐	☐
3 small	작은	☐	☐	☐	☐
4 they	그들	☐	☐	☐	☐

Quiz ② 정답 1. 동사 2. 명사 3. 형용사 4. 대명사

부 사

버금(둘째) **부**(副)

문장 곳곳에서 다른 품사를 도와 문장을 꾸며 주는 말이에요.

- **very** 매우
- **slowly** 느리게
- **fast** 빠르게

전 치 사

앞 **전**(前) 놓을 **치**(置)

명사나 대명사 앞에서 장소, 시간, 위치 등을 나타내는 말이에요.

- **in** the box 상자 안에
- **under** the box 상자 아래에

접 속 사

이을 **접**(接) 이을 **속**(續)

단어와 단어, 문장과 문장을 이어 주는 말이에요.

- **and** 그리고
- **but** 그러나
- **or** 또는

감 탄 사

느낄 **감**(感) 탄식할 **탄**(歎)

기쁨, 놀람, 슬픔 등의 감정을 표현하는 말이에요.

- **Wow!**
- **Oh!**
- **Oops!**

Quiz ③

알맞은 품사 선택하기

		부사	전치사	접속사	감탄사
1 and	그리고	☐	☐	☐	☐
2 under	~ 아래에	☐	☐	☐	☐
3 very	매우	☐	☐	☐	☐
4 Wow!	와우!	☐	☐	☐	☐

Quiz ③ 정답 1. 접속사 2. 전치사 3. 부사 4. 감탄사

문장을 이루는 성분

문장을 이루는 단어들은 각각 알맞은 자리에 쓰여 주어, 동사, 목적어, 보어 등의 역할을 해요.

1 주어

문장의 주인을 말해요. 품사 중에서 명사나 대명사가 주어 역할을 해요.

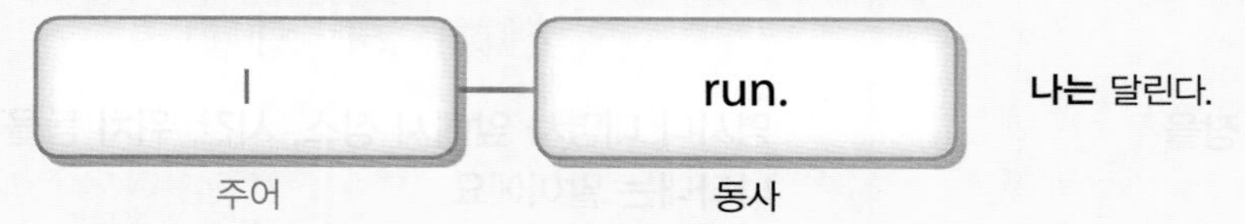

2 동사

주어가 하는 행동이나 주어의 상태를 나타내요. 품사는 동사를 쓰면 돼요.

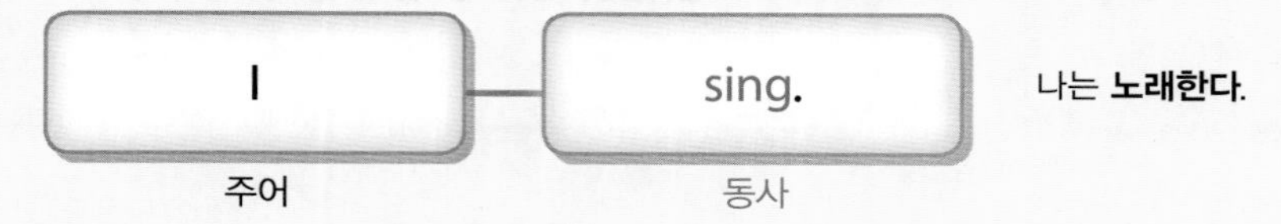

3 목적어

주어가 '무엇을' 하는지 나타내요. 품사는 명사나 대명사가 목적어 역할을 해요.

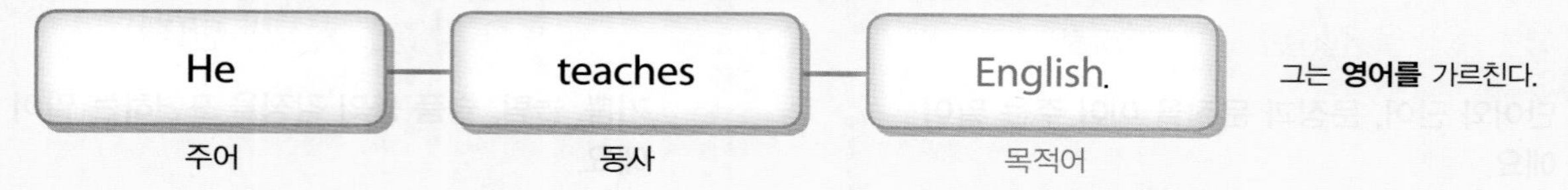

4 보어

주어의 의미를 보충해서 설명해 줘요. 보어 자리에는 명사와 형용사가 올 수 있어요.

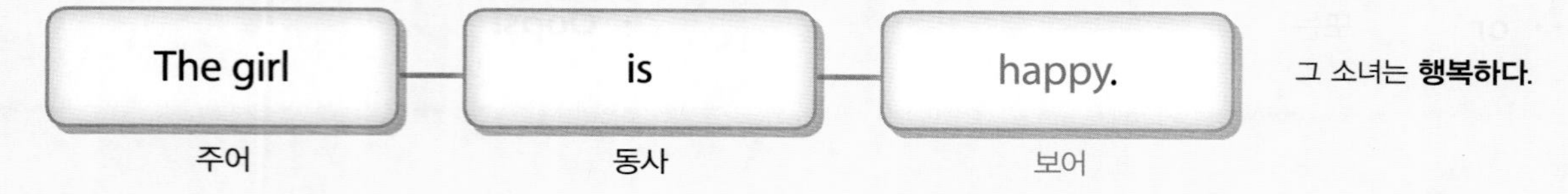

Quiz ④

문장에서 알맞은 문장 성분 고르기

	주어	동사	목적어	보어
1 I study.	☐	☐	☐	☐
2 The boy is my brother.	☐	☐	☐	☐
3 She is from London.	☐	☐	☐	☐
4 I have a dog.	☐	☐	☐	☐

Quiz ④ 정답 1. 동사 2. 보어 3. 주어 4. 목적어

UNIT

01

셀 수 있는 명사

Point 1 셀 수 있는 명사의 종류와 특징

Point 2 명사의 복수형: 규칙 변화

Point 3 명사의 복수형: 불규칙 변화

- 명사는 사람이나 사물의 이름을 나타내는 말이에요. 모든 명사는 개수를 셀 수 있는 명사와 셀 수 없는 명사로 나눌 수 있어요.

셀 수 있는 명사	셀 수 없는 명사
apple 사과 한 개 사과 두 개	water 물 한 개 (X) 물 두 개 (X)

셀 수 있는 명사의 종류와 특징

1 셀 수 있는 명사의 종류

사람, 사물, 동식물, 장소 등의 명사는 셀 수 있어요.

사람		사물		동식물		장소	
girl	소녀	chair	의자	dog	개	school	학교
boy	소년	desk	책상	cat	고양이	room	방
student	학생	table	탁자	flower	꽃	restaurant	식당
teacher	선생님	bag	가방	tree	나무	park	공원

2 셀 수 있는 명사의 특징

단수일 때는 명사 앞에 a나 an을 써요.	a desk	책상 한 개
	an apple	사과 한 개
복수일 때는 명사의 복수형을 써요.	two desks	책상 두 개
	three apples	사과 세 개

더 알아봐요!

'단수'와 '복수'

명사의 개수가 하나이면 '단수', 둘 이상이면 '복수'라고 해요.

보기 의 명사를 알맞은 곳에 분류하여 쓰세요.

보기 ~~girl~~ car flower father school cat park desk

1 사람: girl ________ ________

2 사물: ________ ________

3 동식물: ________ ________

4 장소: ________ ________

Check Up 2 셀 수 있는 명사의 단수형과 복수형 분류하기

Answers p.2

보기 의 명사를 알맞은 곳에 분류하여 쓰세요.

보기			
~~tree~~	books	banana	computers
teacher	classrooms	students	lion

1 단수형

tree ________ ________ ________

2 복수형

________ ________ ________ ________

Check Up 3 문장에서 명사 찾기

다음 문장에서 명사에 동그라미 하세요.

1 He has a (car). 그는 자동차를 가지고 있다.

2 We need a pencil. 우리는 연필 한 개가 필요하다.

3 A tiger is fast. 호랑이는 빠르다.

4 The library is open now. 그 도서관은 지금 열려 있다.

5 The doctors are busy. 그 의사들은 바쁘다.

6 She lives in a small house. 그녀는 작은 집에 산다.

7 They need three chairs. 그들은 의자 세 개가 필요하다.

8 I like funny movies. 나는 재미있는 영화를 좋아한다.

2 명사의 복수형: 규칙 변화

셀 수 있는 명사를 복수형으로 만들 때는 다음과 같은 규칙이 있어요.

대부분의 명사 -s				
pencil	연필	–	pencils	연필들
book	책	–	books	책들
window	창문	–	windows	창문들
chair	의자	–	chairs	의자들

-s, -sh, -ch, -x, -o로 끝나는 명사 -es				
bus	버스	–	buses	버스들
bench	벤치	–	benches	벤치들
box	상자	–	boxes	상자들
potato	감자	–	potatoes	감자들

「자음+y」로 끝나는 명사 y → -ies				
city	도시	–	cities	도시들
baby	아기	–	babies	아기들
story	이야기	–	stories	이야기들

-f, -fe로 끝나는 명사 f, fe → -ves				
leaf	나뭇잎	–	leaves	나뭇잎들
wolf	늑대	–	wolves	늑대들
knife	칼	–	knives	칼들

조심해요!

- -o로 끝나는 명사에 -s를 붙이는 경우도 있어요.
  piano – pianos photo – photos radio – radios kangaroo – kangaroos
- 「모음+y」로 끝나는 명사는 -s만 붙여요.
  boy – boys toy – toys day – days monkey – monkeys

Check Up 1 셀 수 있는 명사의 복수형 고르기

주어진 명사의 올바른 복수형을 고르세요.

1 pen → (pens / penes)
2 watch → (watchs / watches)
3 tomato → (tomatos / tomatoes)
4 baby → (babys / babies)
5 knife → (knifes / knives)
6 bus → (buss / buses)
7 brush → (brushs / brushes)
8 piano → (pianos / pianoes)
9 city → (citys / cities)
10 toy → (toys / toies)

Check Up 2 셀 수 있는 명사의 복수형 쓰기

Answers p.2

주어진 명사의 복수형을 쓰세요.

		단수형	복수형		단수형	복수형
-s	1	a ball 공	balls	2	a friend 친구	
	3	a book 책		4	a window 창문	
	5	a monkey 원숭이		6	a student 학생	
-es	7	a class 수업		8	a bench 벤치	
	9	a dish 접시		10	a hero 영웅	
	11	a fox 여우		12	a dress 드레스	
-ies	13	a story 이야기		14	a country 나라	
	15	a city 도시		16	a puppy 강아지	
-ves	17	a knife 칼		18	a leaf 나뭇잎	
	19	a wolf 늑대		20	a thief 도둑	

명사의 복수형: 불규칙 변화

셀 수 있는 명사를 복수형으로 만들 때 불규칙적으로 변화하는 명사들도 있어요.

1 단수형과 복수형이 다른 명사

man	남자	–	men	남자들	woman	여자	–	women	여자들
tooth	치아	–	teeth	치아들	foot	(한쪽) 발	–	feet	(양쪽) 발
mouse	쥐	–	mice	쥐들	child	어린이	–	children	어린이들

2 단수형과 복수형이 같은 명사

fish	물고기	–	fish	물고기들	sheep	양	–	sheep	양들
deer	사슴	–	deer	사슴들					

더 알아봐요! 두 개가 쌍을 이루는 명사는 항상 복수형으로 써요.
jeans 청바지 pants 바지 scissors 가위 glasses 안경

Check Up 1 셀 수 있는 명사의 복수형 고르기

괄호 안에서 알맞은 것을 고르세요.

1 two (foot / feet)

2 five (childs / children)

3 three (mouses / mice)

4 two (fish / fishes)

5 four (tooth / teeth)

6 six (womans / women)

7 two (deer / deers)

8 three (mans / men)

9 five (sheep / sheeps)

10 your (scissor / scissors)

11 my (jean / jeans)

12 my (pant / pants)

Answers p.2

Check Up 2 셀 수 있는 명사의 복수형 쓰기

주어진 명사의 복수형을 쓰세요.

	단수형	복수형
1	a child 아이	children
2	a tooth 치아	
3	a mouse 쥐	
4	a woman 여자	
5	a fish 물고기	
6	a foot 발	
7	a sheep 양	
8	a man 남자	

Check Up 3 문장에서 셀 수 있는 명사의 단수형·복수형 고르기

괄호 안에서 알맞은 것을 고르세요.

1 The penguin has two (foot / feet).

2 She has a (child / children).

3 They are my (scissor / scissors).

4 We see three (deers / deer) in this picture.

5 Two (woman / women) are in this room.

TRAINING 1 문장 비교하기

우리말에 맞게 주어진 단어를 빈칸에 알맞은 형태로 써서 문장을 완성하세요.

1 **book**

John reads one ___book___ every month.
John은 매달 **책 한 권**을 읽는다.

Kate reads three ___books___ every month.
Kate는 매달 **책 세 권**을 읽는다.

2 **tooth**

My baby sister has one ____________.
내 여동생은 **치아가 한 개** 있다.

His baby brother has two ____________.
그의 남동생은 **치아가 두 개** 있다.

3 **child**

Mr. Smith teaches one ____________.
Smith 씨는 **아이 한 명**을 가르친다.

Ms. Brown teaches five ____________.
Brown 씨는 **아이 다섯 명**을 가르친다.

4 **woman**

Our baseball team needs one ____________.
우리 야구팀에는 **여자 한 명**이 필요하다.

Their baseball team needs two ____________.
그들의 야구팀에는 **여자 두 명**이 필요하다.

5 **city**

Mom visits one ____________ every year.
엄마는 매년 **도시 한 곳**을 방문하신다.

Dad visits two ____________ every year.
아빠는 매년 **도시 두 곳**을 방문하신다.

6 **leaf**

This tree has one ____________.
이 나무에는 **나뭇잎이 한 개** 있다.

That tree has three ____________.
저 나무에는 **나뭇잎이 세 개** 있다.

TRAINING 2 사진 보고 문장 완성하기

Answers p.2

사진을 보고 보기 에서 알맞은 말을 골라 문장을 완성하세요. (필요한 경우 단어의 형태를 바꿀 것)

보기				
~~sheep~~	man	tomato	fox	glass
mouse	potato	knife	wolf	

1

He has five ___sheep___ on his farm.

2

Mr. White wears ___________.

3

The forks and ___________ are on the table.

4

Two ___________ and three ___________ live in the forest.

5

I need three ___________ and two ___________ for pizza.

6

I see two ___________ and two ___________.

WORD BANK farm 농장 wear (안경 · 모자를) 쓰다 fork 포크 live 살다 forest 숲 need 필요하다

TRAINING 3 틀린 문장 고쳐 쓰기

밑줄 친 부분이 맞으면 O, 틀리면 X 표를 한 후 틀린 부분을 바르게 고쳐 쓰세요.

1 Two mens are in the room. X → men

2 Let's draw three fishes. →

3 He has two childs. →

4 He paints benchs in the park. →

5 I like stories about stars. →

6 The museum has old knifes and dishes. →

7 They have three birthday partys this month. →

8 We need scissor for this class. →

WORD BANK draw 그리다 paint 페인트를 칠하다 about ~에 관한 museum 박물관 old 오래된, 낡은

Answers p.2

주어진 단어를 이용하여 우리말에 맞게 영작하세요. (필요한 경우 단어의 형태를 바꿀 것)

1 나는 **시계 두 개**를 가지고 있다. (I, have, watch)

I	have	two / watches.
나는	가지고 있다	시계 두 개를

2 나의 누나는 **상자 네 개**를 원한다. (My sister, wants, box)

나의 누나는	원한다	상자 네 개를

3 그 영화는 **늑대 두 마리**에 관한 것이다. (The movie, is, about, wolf)

그 영화는	이다	~에 관한	늑대 두 마리

4 이 농장에는 **쥐 세 마리**가 산다. (mouse, live, on this farm)

쥐 세 마리가	산다	이 농장에

5 그는 매주 **이야기 두 개**를 쓴다. (He, writes, story, every week)

그는	쓴다	이야기 두 개를	매주

6 엄마는 매년 **세 개의 도시**를 방문하신다. (Mom, visits, city, every year)

엄마는	방문하신다	세 개의 도시를	매년

7 **소년 다섯 명**이 농구를 한다. (boy, play, basketball)

소년 다섯 명이	한다	농구를

서술형 WRITING

A 가방 속 물건 표현하기

그림을 보고 빈칸에 들어갈 말을 보기 에서 골라 알맞은 형태로 쓰세요.

보기 ~~eraser~~ notebook pencil book

A What do you have in your bag?

B I have one ① ___eraser___,

two ② ____________,

three ③ ____________,

and four ④ ____________.

B 쇼핑 목록 말하기

쇼핑 목록을 보고 내용에 맞게 문장을 완성하세요.

My Shopping List

1 orange ··· 3

2 potato ··· 4

3 kitchen knife ··· 2

4 strawberry ··· 10

1 I need ___three oranges___.

2 I need ____________.

3 I need ____________.

4 I need ____________.

UNIT

02

셀 수 없는 명사

Point 1 셀 수 없는 명사의 종류와 특징

Point 2 물질명사의 수량 표현

- 영어의 명사에는 셀 수 있는 명사도 있지만, '물 세 개, 사랑 하나'처럼 수를 세면 어색한 명사도 있어요. 이런 명사들을 셀 수 없는 명사라고 해요.

눈에 보이지 않아 셀 수 없는 경우		눈에는 보이지만 세기 어려운 경우	

love 사랑	happiness 행복	water 물	salt 소금

셀 수 없는 명사의 종류와 특징

1 셀 수 없는 명사의 종류

고유명사 사람/도시/국가 이름, 월/요일 이름 등		물질명사 액체, 기체, 재료 등 일정한 모양이 없는 것		추상명사 생각, 감정 등 눈에 보이지 않는 것	
Tom	Tom	water	물	love	사랑
Seoul	서울	air	공기	peace	평화
France	프랑스	bread	빵	happiness	행복
Sunday	일요일	sugar	설탕	health	건강

cf. 고유명사는 항상 첫 글자를 대문자로 써요.
seoul (X)　　Seoul (O)

2 셀 수 없는 명사의 특징

앞에 a/an을 붙일 수 없어요.	a water (X)	water (O)
복수형으로 쓸 수 없어요.	waters (X)	water (O)

Check Up 1 셀 수 없는 명사 분류하기

보기 의 명사를 알맞은 곳에 분류하여 쓰세요.

보기			
~~Jenny~~	salt	love	France
milk	London	Tuesday	water
happiness	air	health	peace

1 고유명사
Jenny
____
____
____

2 물질명사
____
____
____
____

3 추상명사
____
____
____
____

Check Up **2** 셀 수 없는 명사 고르기

Answers p.3

괄호 안에서 알맞은 것을 고르세요.

1 I like (bread / breads).

2 We want (milk / milks).

3 I live in (seoul / Seoul).

4 (A sugar / Sugar) is sweet.

5 (Spain / A Spain) is a country in Europe.

6 We want (peace / a peace) in the world.

7 They want (water / waters).

8 (A health / Health) is very important.

9 (A Sam / Sam) goes to the market every day.

10 Children need (loves / love).

물질명사의 수량 표현

1 물질명사를 세고 싶을 때는 용기나 단위를 사용해서 나타내요.

I drink **milk** every day. 나는 매일 우유를 마신다.
I drink a glass of **milk** every day. 나는 매일 우유 **한 잔**을 마신다.

용기나 단위	물질명사	
a cup of	coffee, tea	커피, 차 한 잔
a glass of	water, juice, milk	물, 주스, 우유 한 잔
a bottle of	water, juice, milk	물, 주스, 우유 한 병
a piece / slice of	cheese, pizza, cake, bread	치즈, 피자, 케이크, 빵 한 조각
a piece / sheet of	paper	종이 한 장
a bowl of	soup, rice	수프, 밥 한 그릇

2 복수형으로 쓸 때는 용기나 단위만 복수형으로 나타내요.

a glass of water → three glasses of water 물 세 잔
a slice of cheese → two slices of cheese 치즈 두 조각

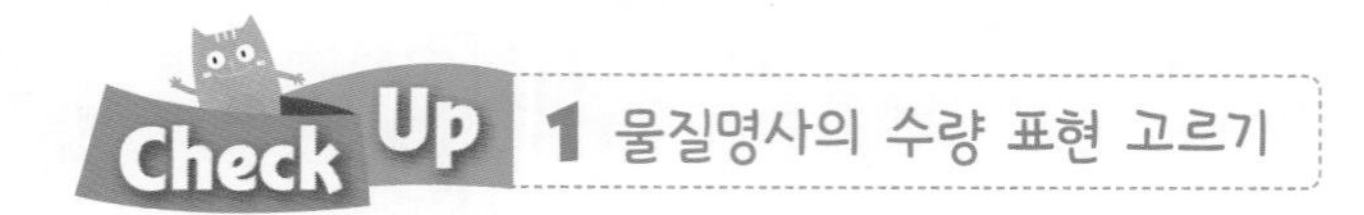

주어진 수량 표현과 어울리는 물질명사에 체크(✓)하세요.

	용기나 단위	물질명사	
1	a piece of	☐ milk	☑ cake
2	a bottle of	☐ water	☐ cheese
3	a glass of	☐ bread	☐ juice
4	a bowl of	☐ soup	☐ pizza
5	a piece of	☐ cheese	☐ milk

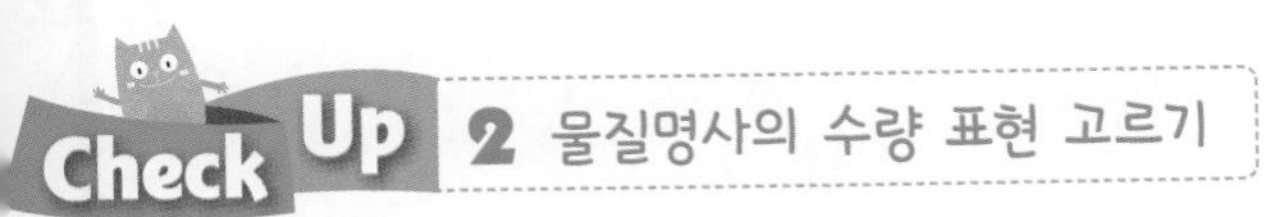

Answers p.3

우리말에 맞게 괄호 안에서 알맞은 것을 고르세요.

1 물 한 잔 → a (glass / bottle) of water

2 피자 한 조각 → a (bowl / piece) of pizza

3 주스 한 병 → a (cup / bottle) of juice

4 치즈 네 조각 → four (slice / slices) of cheese

5 밥 두 그릇 → two (bowl / bowls) of rice

6 종이 열 장 → ten (slices / sheets) of paper

Check Up **3** 물질명사의 복수형 수량 표현 쓰기

다음을 복수형 수량 표현으로 다시 쓰세요.

1 a cup of tea → two cups of tea

2 a bowl of rice → three ________ of ________

3 a sheet of paper → five ________ of ________

4 a piece of cake → four ________ of ________

5 a bottle of milk → three ________ of ________

6 a slice of cheese → seven ________ of ________

우리말에 맞게 주어진 단어를 이용하여 문장을 완성하세요.

1 Let's drink juice. 주스를 마시자.

Let's drink ___a___ ___glass___ ___of___ ___juice___. (glass) **주스 한 잔**을 마시자.

2 He wants coffee. 그는 **커피**를 원한다.

He wants ________ ________ ________ ________. (cup) 그는 **커피 한 잔**을 원한다.

3 Mom makes soup in the morning. 엄마는 아침에 **수프**를 만드신다.

Mom makes ________ ________ ________ ________ in the morning. (bowl)

엄마는 아침에 **수프 한 그릇**을 만드신다.

4 They need pizza for the party. 그들은 파티를 위해 **피자**가 필요하다.

They need ________ ________ ________ ________ for the party. (slice)

그들은 파티를 위해 **피자 열 조각**이 필요하다.

5 We eat cake after dinner. 우리는 저녁 식사 후에 **케이크**를 먹는다.

We eat ________ ________ ________ ________ after dinner. (piece)

우리는 저녁 식사 후에 **케이크 한 조각**을 먹는다.

6 I have milk in the refrigerator. 나는 냉장고에 **우유**를 가지고 있다.

I have ________ ________ ________ ________ in the refrigerator. (bottle)

나는 냉장고에 **우유 두 병**을 가지고 있다.

TRAINING 2 사진 보고 문장 완성하기

Answers p.3

사진을 보고 보기 에서 알맞은 말을 골라 문장을 완성하세요.

보기	~~cup~~	slice	bowl	bottle	sheet	glass

1

He drinks ___two___ ___cups___ of coffee every day.

2

They want __________ __________ of juice.

3

She has __________ __________ of paper.

4

I drink __________ __________ of water in the morning.

5

They want __________ __________ of soup.

6

__________ __________ of cake are on the table.

WORD BANK every day 매일 in the morning 아침에 on the table 탁자 위에

밑줄 친 부분이 맞으면 O, 틀리면 X 표를 한 후 틀린 부분을 바르게 고쳐 쓰세요.

1 The parents have <u>loves</u> for their children. [X] → [love]

2 Our <u>healths</u> is important. [ ] → [ ]

3 The boy wants two pieces of <u>pizzas</u>. [ ] → [ ]

4 Plants need <u>water</u> and air. [ ] → [ ]

5 My grandmother often bakes <u>breads</u>. [ ] → [ ]

6 We need two <u>bottle</u> of water. [ ] → [ ]

7 I drink a <u>cups</u> of tea after lunch. [ ] → [ ]

8 He goes to <u>london</u> every year. [ ] → [ ]

WORD BANK important 중요한 plant 식물 often 종종 bake 굽다 after 뒤에, 후에

Answers p.3

주어진 단어를 이용하여 우리말에 맞게 영작하세요.

1 Jina는 매일 **케이크 한 조각**을 먹는다. (eats, piece, cake, every day)

Jina	eats	a piece of cake	every day.
Jina는	먹는다	케이크 한 조각을	매일

2 나는 지금 **물 한 잔**을 원한다. (I, want, glass, water, now)

나는	원한다	물 한 잔을	지금

3 아빠는 아침마다 **밥 두 공기**를 드신다. (Dad, eats, bowl, rice, every morning)

아빠는	드신다	밥 두 공기를	아침마다

4 엄마는 아침에 **커피 한 잔**을 드신다. (Mom, drinks, cup, coffee, in the morning)

엄마는	드신다	커피 한 잔을	아침에

5 우리는 매주 **주스 세 병**을 산다. (We, buy, bottle, juice, every week)

우리는	산다	주스 세 병을	매주

6 그는 **치즈 한 조각**을 원한다. (He, wants, slice, cheese)

그는	원한다	치즈 한 조각을

7 나는 **종이 세 장**이 필요하다. (I, need, sheet, paper)

나는	필요하다	종이 세 장이

Answers p.3

A 친구 소개하기

괄호 안에서 알맞은 말을 골라 친구를 소개하는 글을 완성하세요.

This is my friend, ① ____________.
(Jim / jim)

He is from ② ____________.
(France / a France)

He makes ③ ____________ and cake.
(breads / bread)

We are good friends.

B 먹고 싶은 것 소개하기

다음은 Kate와 친구들이 각자 먹고 싶은 것을 나타낸 것입니다. 그림을 보고 보기 에서 알맞은 말을 골라 문장을 완성하세요. (한 단어를 여러 번 사용 가능)

보기	piece	glass	slice	bottle

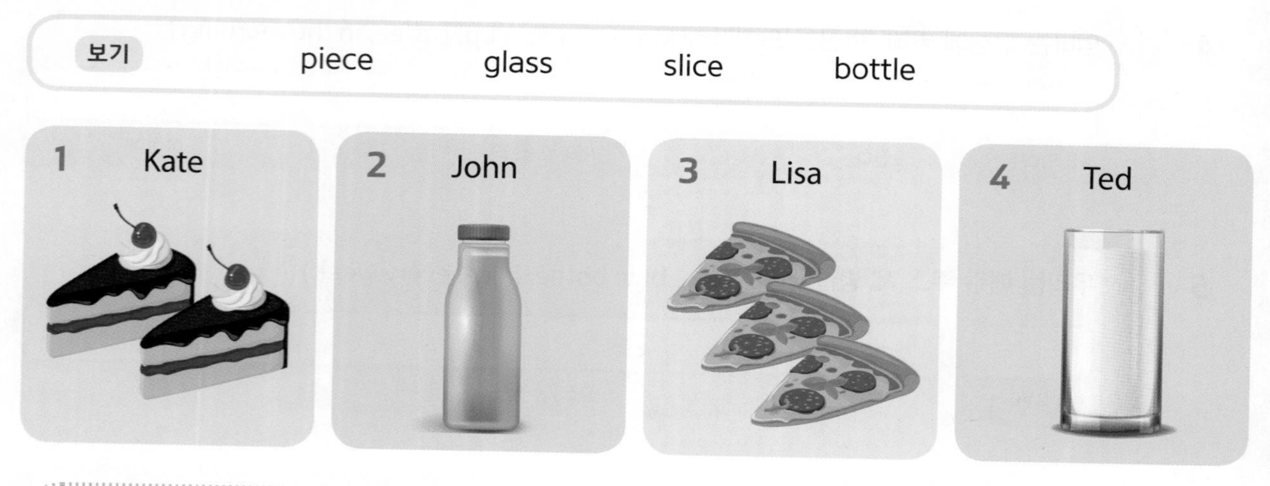

1 Kate wants ____two pieces/slices of____ cake.

2 John wants ________________ orange juice.

3 Lisa wants ________________ pizza.

4 Ted wants ________________ milk.

UNIT

03

관사

Point 1 부정관사 a/an

Point 2 정관사 the

Point 3 정관사 the를 쓰지 않는 경우

- 영어에서 a/an, the를 관사라고 해요. 특별히 정해지지 않은 하나를 가리키는 명사 앞에는 a/an을, 특정한 것을 가리키는 명사 앞에는 the를 써요.

I have a hat.
나는 **모자 하나**가 있다.

The hat is red.
그 모자는 빨간색이다.

부정관사 a/an

1 부정관사 a/an은 하나의 명사를 가리키거나 특별히 정해지지 않은 명사를 가리킬 때 사용해요.

They have a daughter. 그들은 딸이 하나 있다.
She is a cook. 그녀는 요리사이다.

2 a의 쓰임

부정관사 뒤에 오는 단어의 첫소리가 자음일 때는 a를 사용해요.

a+첫소리가 자음	a movie	a cat	a toy	a hat

cf. 모음 글자로 시작하지만 첫소리가 반자음으로 발음되는 경우에는 a를 사용해요.
a uniform (O) an uniform (X)

3 an의 쓰임

부정관사 뒤에 오는 단어의 첫소리가 모음(a, e, i, o, u)일 때는 an을 사용해요.

an+첫소리가 모음	an apple	an eye	an orange	an umbrella

cf. 자음 글자로 시작하지만 첫소리가 모음으로 발음되는 경우에는 an을 사용해요.
an hour (O) a hour (X)

Check Up 1 부정관사 분류하기

보기 의 명사를 알맞은 곳에 분류하여 쓰세요.

보기	toy	apple	baby	egg
	uniform	umbrella	hour	rabbit

a를 붙이는 명사

1
a toy
a ______
a ______
a ______

an을 붙이는 명사

2
an ______
an ______
an ______
an ______

2 알맞은 부정관사 고르기

Answers p.4

괄호 안에서 알맞은 부정관사를 고르세요.

1. (a / an) desk
2. (a / an) orange
3. (a / an) egg
4. (a / an) friend
5. (a / an) student
6. (a / an) elephant
7. (a / an) hour
8. (a / an) apartment
9. (a / an) street
10. (a / an) uniform

Check Up

3 알맞은 부정관사 쓰기

주어진 명사 앞에 알맞은 부정관사 a나 an을 쓰세요.

1. ____a____ son
2. ________ umbrella
3. ________ apple
4. ________ computer
5. ________ eagle
6. ________ teacher
7. ________ hour
8. ________ uniform
9. ________ answer
10. ________ hat

Point

2 정관사 the

1 정관사 the는 '(바로) 그'라는 의미이며, 앞에 나온 명사를 다시 말할 때 써요.

I have a cat. The cat is black.
나는 고양이 한 마리가 있다. **그** 고양이는 검은색이다.

2 정관사 the는 명사의 단수형이나 복수형 앞에 모두 쓸 수 있어요.

the book 그 책　　the books 그 책들

3 정관사 the를 꼭 써야 하는 경우가 있어요.

유일한 것	the sun 태양 the sky 하늘	the moon 달
play 뒤 악기 이름	play the piano 피아노를 치다	play the violin 바이올린을 켜다

우리말에 맞게 괄호 안에서 알맞은 것을 고르세요.

1 새 한 마리 → (a / the) bird　　그 새 → (a / the) bird

2 달걀 한 개 → (an / the) egg　　그 달걀 → (an / the) egg

3 학생 한 명 → (a / the) student　　그 학생 → (a / the) student

4 단어 하나 → (a / the) word　　그 단어 → (a / the) word

5 그 교실 → (a / the) classroom　　그 교실들 → (a / the) classrooms

6 그 이야기 → (a / the) story　　그 이야기들 → (a / the) stories

Check Up 2 관사의 쓰임 이해하기

Answers p.4

우리말에 맞는 표현을 고르세요.

1	그 선생님	☐ a teacher	☑ the teacher
2	어떤 의사	☐ a doctor	☐ the doctor
3	태양	☐ a sun	☐ the sun
4	달	☐ a moon	☐ the moon
5	바이올린을 켜다	☐ play violin	☐ play the violin
6	피아노를 치다	☐ play piano	☐ play the piano

Check Up 3 알맞은 관사 쓰기

우리말에 맞게 빈칸에 알맞은 관사(a/an/the)를 쓰세요.

1. 그 개는 흰색이다. → The dog is white.
2. 달이 매우 밝다. → ______ moon is very bright.
3. 그는 자전거가 한 대 있다. → He has ______ bike.
4. 그녀는 밴드에서 드럼을 친다. → She plays ______ drums in a band.
5. 그 소년들은 프랑스에서 왔다. → ______ boys are from France.
6. 나는 매일 기타를 친다. → I play ______ guitar every day.

정관사 the를 쓰지 않는 경우

다음 명사들 앞에는 주로 관사를 붙이지 않아요.

식사 이름 앞	breakfast 아침 lunch 점심 dinner 저녁	I have breakfast at 7 o'clock. 나는 7시에 아침을 먹는다.
운동 이름 앞	baseball 야구 soccer 축구 basketball 농구	I play baseball every Sunday. 나는 일요일마다 야구를 한다.
과목 이름 앞	science 과학 English 영어 math 수학	I study math every day. 나는 매일 수학을 공부한다.
by+교통수단	by bus 버스로 by subway 지하철로 by train 기차로	I go to school by bus. 나는 버스를 타고 학교에 간다.

cf. 언어 이름은 첫 글자를 대문자로 써요. English (O) english (X)

비교해요!

「**play**+**the**+악기」 vs. 「**play**+운동 경기」

Tom **plays** the **violin** every day. Tom은 매일 바이올린을 연주한다.

Tom **plays basketball** every day. Tom은 매일 농구를 한다.

1 알맞은 표현 고르기

우리말에 맞는 표현을 고르세요.

1 저녁을 먹다 ☑ have dinner ☐ have the dinner

2 야구를 하다 ☐ play the baseball ☐ play baseball

3 수학을 공부하다 ☐ study math ☐ study the math

4 기차를 타고 ☐ by train ☐ by the train

5 첼로를 켜다 ☐ play the cello ☐ play cello

Answers p.4

괄호 안에서 알맞은 것을 고르세요. 관사가 필요 없는 경우에는 X에 표시하세요.

1 We have (the / X) lunch at 12. 우리는 12시에 점심을 먹는다.

2 I like (the / X) science. 나는 과학을 좋아한다.

3 He plays (the / X) basketball every day. 그는 매일 농구를 한다.

4 She studies (the / X) music in France. 그녀는 프랑스에서 음악을 공부한다.

5 Jina plays (the / X) piano every afternoon. Jina는 매일 오후에 피아노를 친다.

6 (The / X) sky is blue. 하늘이 파랗다.

7 They go to work by (the / X) subway. 그들은 지하철을 타고 일하러 간다.

8 My sister plays (the / X) violin. 내 여동생은 바이올린을 켠다.

9 We go to the sea by (the / X) train. 우리는 기차를 타고 바다에 간다.

10 He has (the / X) dinner at 6. 그는 6시에 저녁을 먹는다.

주어진 단어와 a/an, the를 이용하여 우리말에 맞게 문장을 완성하세요. (관사가 필요 없는 경우에는 쓰지 말 것)

1 Amy has ___a raincoat___. (raincoat) Amy는 우비가 있다.
John has ___an umbrella___. (umbrella) John은 우산이 있다.

2 Dad wants ______________. (orange) 아빠는 오렌지 한 개를 원하신다.
Mom wants ______________. (strawberry) 엄마는 딸기 한 개를 원하신다.

3 I play ______________ every Wednesday. (tennis) 나는 수요일마다 테니스를 친다.
She plays ______________ every day. (piano) 그녀는 매일 피아노를 친다.

4 I have ______________ in the morning. (banana) 나는 아침에 바나나 한 개를 먹는다.
I have ______________ at 7 in the evening. (dinner) 나는 저녁 7시에 저녁을 먹는다.

5 He studies ______________. (science) 그는 과학을 연구한다.
He studies ______________. (sun) 그는 태양을 연구한다.

6 Emily has ______________. (bird) Emily는 새 한 마리를 가지고 있다.
______________ has big eyes. (bird) 그 새는 큰 눈을 가지고 있다.

7 Kevin is ______________. (student) Kevin은 학생이다.
______________ are from Mexico. (students) 그 학생들은 멕시코에서 왔다.

TRAINING 2 사진 보고 문장 완성하기

Answers p.4

사진을 보고 보기 에서 알맞은 말을 골라 문장을 완성하세요. (필요한 경우 관사를 쓸 것)

보기 ~~bear~~ guitar soccer cats lunch moon

1

He sees a ___bear___.

___The bear___ is big.

2

Lisa has two ________.

________ are cute.

3

________ is bright in the sky.

4

My sister plays ________ well.

5

We play ________ after school.

6

They have ________ at 12.

WORD BANK see 보다 cute 귀여운 bright 밝은 after school 방과 후에

밑줄 친 부분이 맞으면 O, 틀리면 X 표를 한 후 틀린 부분을 바르게 고쳐 쓰세요.

1 Ms. White teaches the music. X → music

2 I see many stars in a sky. ☐ → ☐

3 They have a lunch in the school cafeteria. ☐ → ☐

4 Mr. Black has a car. A car is very old. ☐ → ☐

5 I play the soccer on my school soccer team. ☐ → ☐

6 He plays violin really well. ☐ → ☐

7 My sister learns Chinese at school. ☐ → ☐

8 He wears an uniform at work. ☐ → ☐

WORD BANK teach 가르치다 school cafeteria 학교 식당 learn 배우다 wear 입다 at work 근무 중에

Answers p.5

주어진 단어를 이용하여 우리말에 맞게 영작하세요. (필요한 경우 관사를 쓸 것)

1 나는 7시 30분에 아침을 먹는다. (I, have, at 7:30)

I	have	breakfast	at 7:30.
나는	먹는다	아침을	7시 30분에

2 John은 수학을 좋아한다. (likes)

John은	좋아한다	수학을

3 그들은 공원에서 배드민턴을 친다. (They, badminton, play, in the park)

그들은	친다	배드민턴을	공원에서

4 엄마는 지하철을 타고 일하러 가신다. (Mom, goes to work, subway, by)

엄마는	일하러 가신다	지하철을 타고

5 그녀는 매일 아침 피아노를 연주한다. (She, plays, every morning, piano)

그녀는	연주한다	피아노를	매일 아침

6 우리는 방과 후에 야구를 한다. (We, baseball, play, after school)

우리는	한다	야구를	방과 후에

7 나는 한 소년을 안다. 그 소년은 미술을 좋아한다. (boy, art, likes)

I know a boy.

그 소년은	좋아한다	미술을

Answers p.5

A 사진 묘사하기

사진을 보고 주어진 단어와 a/an, the 중 알맞은 관사를 이용하여 문장을 완성하세요.

1

He has ___a___ ___cat___.

______ ______ is cute. (cat)

2

She has ______ ______.

______ ______ is red. (umbrella)

B 공원 묘사하기

공원을 묘사하는 글을 읽고 밑줄 친 부분을 바르게 고치세요.

This is a park. ① A sun is in the sky.
Children ② play the basketball in the park.
Many girls ③ have the lunch here.
I ④ play guitar every day here.

① ___The sun___
② ______
③ ______
④ ______

REVIEW TEST 1

Units 1-3

Answers p.5

1 명사의 복수형이 잘못된 것을 고르세요.

① book – books
② baby – babys
③ toy – toys
④ knife – knives
⑤ church – churches

2 셀 수 없는 명사끼리 짝 지어진 것을 고르세요.

① love, water
② flower, park
③ bag, health
④ bread, student
⑤ window, bench

3 밑줄 친 부분이 잘못된 것을 고르세요.

① Dad eats many fish.
② My sister wears glasses.
③ He has three sheep.
④ I want sugars in the coffee.
⑤ Brush your teeth after dinner.

[4-5] 빈칸에 들어갈 말로 알맞지 않은 것을 고르세요.

4 I want a piece of ________.

① cake ② pizza
③ milk ④ bread
⑤ cheese

5 We need an ________.

① egg ② umbrella
③ apple ④ orange
⑤ uniform

6 밑줄 친 표현이 맞는 것을 고르세요.

① I go to school by the bus.
② I have the lunch at 1 o'clock.
③ Jina plays piano every day.
④ Ted plays the violin after school.
⑤ They play the soccer in the park.

7 빈칸에 들어갈 말이 바르게 짝 지어진 것을 고르세요.

• We live in ___ⓐ___ apartment.
• Many stars are in ___ⓑ___ sky tonight.

	ⓐ		ⓑ		ⓐ		ⓑ
①	a	–	an	②	an	–	a
③	an	–	the	④	a	–	the
⑤	the	–	a				

도전문제

8 빈칸에 the를 쓸 수 있는 것을 고르세요.

① Tom likes ________ math.
② ________ sun shines brightly.
③ We have ________ breakfast at 7.
④ Let's play ________ soccer after school.
⑤ They go to school by ________ bus.

서 술 형

9 우리말에 맞게 주어진 명사를 알맞은 형태로 바꿔 문장을 완성하세요.

많은 아이들이 놀이터에 있다. (child)

→ Many ____________ are in the playground.

10 우리말에 맞게 a/an, the 중 알맞은 관사를 넣어 문장을 완성하세요.

나는 개 한 마리가 있다. 그 개는 눈이 크다.

→ I have ____________ dog. ____________ dog has big eyes.

[11-12] 주어진 문장을 아래와 같이 바꿔 쓸 때 밑줄 친 부분을 바르게 고쳐 빈칸에 쓰세요.

11 Emily eats an apple and a tomato.

→ Emily eats two ____________ and three ____________.

12 He drinks a glass of milk and a bottle of water.

→ He drinks three ____________ ____________ milk and two ____________ ____________ water.

UNIT

04

인칭대명사 1

Point 1 주격 인칭대명사

Point 2 목적격 인칭대명사

- 대명사는 명사를 대신하는 말이에요. 대명사 중에서 사람이나 사물을 대신하는 말을 인칭대명사라고 해요.

Jack is my cousin.
Jack은 내 사촌이다.

He is smart.
그는 똑똑하다.

주격 인칭대명사

1 문장에서 주어로 쓰인 명사를 대신하는 인칭대명사를 주격 인칭대명사라고 해요.

> **Lisa** is my friend. **She** is friendly. Lisa는 내 친구이다. **그녀는** 상냥하다. <She = Lisa>

	단수		복수	
1인칭 (말하는 자기 자신)	**I**	나는	**we**	우리는
2인칭 (듣는 상대방)	**you**	너는	**you**	너희들은
3인칭 (1, 2인칭을 제외한 나머지)	**he** **she** **it**	그는 그녀는 그것은	**they**	그들은, 그것들은

2 복수 형태의 명사나 대명사도 주격 인칭대명사로 바꿔 쓸 수 있어요.

> **You and I** know Lisa. **We** like her. 너와 나는 Lisa를 안다. **우리는** 그녀를 좋아한다.

you and **I**	my mom and **I**	→ **we** 〈나를 포함한 여러 명일 때〉
you and Paul	**you** and your brother	→ **you** 〈너를 포함한 여러 명일 때〉
Sam and Ted	my mom and dad	→ **they** 〈나와 너를 뺀 여러 명일 때〉

우리말에 맞게 괄호 안에서 알맞은 것을 고르세요.

1 너는 키가 크다. → (I / You) are tall.

2 그것은 축구공이다. → (He / It) is a soccer ball.

3 그녀는 안경을 쓴다. → (She / He) wears glasses.

4 우리는 열한 살이다. → (You / We) are eleven years old.

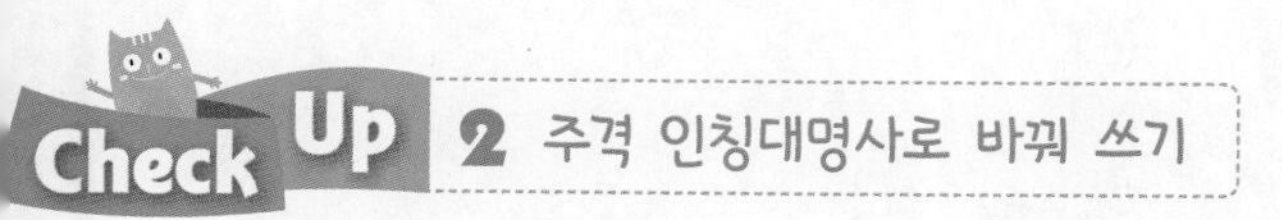

Answers p.6

주어진 명사나 대명사를 알맞은 주격 인칭대명사로 바꿔 쓰세요.

1 Paul and I → we
2 Kate and I → ______
3 you and I → ______
4 you and Ted → ______
5 you and your mom → ______
6 doctors → ______
7 birds → ______
8 cars → ______
9 a cat and a dog → ______
10 Amy and Sam → ______
11 Mr. Jones → ______
12 my grandma → ______

밑줄 친 명사나 대명사를 알맞은 인칭대명사로 바꿔 쓰세요.

1 Kate is a singer. → She is a singer.
2 John is my brother. → ______ is my brother.
3 The chair is heavy. → ______ is heavy.
4 You and I are friends. → ______ are friends.
5 The dancers are famous. → ______ are famous.
6 You and Sam speak French. → ______ speak French.

2 목적격 인칭대명사

1 문장에서 목적어로 쓰인 명사를 대신하는 인칭대명사를 목적격 인칭대명사라고 해요.

> Everybody knows **Lisa**. Everybody likes her. <her = Lisa>
> 모두가 Lisa를 안다. 모두가 **그녀를** 좋아한다.

2 인칭대명사는 주격일 때와 목적격일 때의 형태가 달라요.

		주격		목적격	
1인칭	단수	**I**	나는	**me**	나를
	복수	**we**	우리는	**us**	우리를
2인칭	단수	**you**	너는	**you**	너를
	복수		너희들은		너희들을
3인칭	단수	**he** **she** **it**	그는 그녀는 그것은	**him** **her** **it**	그를 그녀를 그것을
	복수	**they**	그들은, 그것들은	**them**	그들을, 그것들을

빈칸에 알맞은 목적격 인칭대명사와 우리말 뜻을 쓰세요.

	주격		목적격	우리말 뜻
1	I	나는	me	나를
2	you	너는		
3	he	그는		
4	she	그녀는		
5	it	그것은		
6	we	우리는		
7	they	그들은		

Check Up 2 알맞은 인칭대명사 고르기

Answers p.6

우리말에 맞게 괄호 안에서 알맞은 것을 고르세요.

1 나는 **그를** 잘 안다. → I know (I / he / him) well.

2 Paul은 **그녀를** 잘 안다. → Paul knows (she / it / her) well.

3 **그녀는** 영화를 좋아한다. → (She / Her / Him) likes movies.

4 나는 **그들을** 사랑한다. → I love (them / they / you).

5 **그들은** 디자이너이다. → (They / Them / Us) are designers.

6 내 남동생은 종종 **그를** 돕는다. → My brother often helps (he / him / her).

7 Sam은 **우리를** 매년 초대한다. → Sam invites (us / we / me) every year.

8 **그것은** 아주 달콤하다. → (They / It / Them) is very sweet.

9 **그들은** 파리에 산다. → (They / Them / You) live in Paris.

10 모두가 **나를** 좋아한다. → Everybody likes (I / me / us).

우리말에 맞게 빈칸에 알맞은 인칭대명사를 써서 문장을 완성하세요.

1 ___They___ are singers. 그들은 가수이다.
Jenny likes ___them___. Jenny는 그들을 좋아한다.

2 ________ is an actress. 그녀는 영화배우이다.
We see ________ in many movies. 우리는 많은 영화에서 그녀를 본다.

3 ________ is in my class. 그는 나와 같은 반이다.
Everybody likes ________. 모두가 그를 좋아한다.

4 ________ live in Busan. 우리는 부산에 산다.
Grandma visits ________ every month. 할머니는 매달 우리를 방문하신다.

5 ________ is my bag. 그것은 내 가방이다.
I like ________ very much. 나는 그것을 매우 좋아한다.

6 ________ are our school buses. 그것들은 우리 스쿨버스이다.
We ride ________ every day. 우리는 그것들을 매일 탄다.

7 ________ have a dog. 나는 개가 한 마리 있다.
The dog loves ________ very much. 그 개는 나를 매우 사랑한다.

TRAINING 2 사진 보고 문장 완성하기

Answers p.6

사진을 보고 보기 에서 알맞은 말을 골라 문장을 완성하세요. (한 단어를 여러 번 사용 가능)

보기 ~~he~~ you it them they

1

My father is an artist.

He paints pictures.

2

The girl does yoga.

She does ________ every day.

3

The shoes are old.

________ are my shoes.

4

The cat is in the box.

________ likes boxes.

5

You and your sister have brown hair.

________ have the same hair color.

6

Mr. Davis builds houses.

He builds ________ for young people.

WORD BANK artist 화가 paint 그리다 do yoga 요가를 하다 same 똑같은 build 짓다 young people 젊은 사람들

TRAINING 3 틀린 문장 고쳐 쓰기

밑줄 친 부분이 우리말에 맞으면 O, 틀리면 X 표를 한 후 틀린 부분을 바르게 고쳐 쓰세요.

1 Jenny and I are friends. <u>They</u> are in the same class.
Jenny와 나는 친구이다. 우리는 같은 반이다.
X → We

2 They have a car. They wash <u>them</u> every day.
그들은 차가 있다. 그들은 매일 그것을 세차한다.
☐ → ☐

3 Dad likes cooking. <u>He</u> often makes spaghetti.
아빠는 요리를 좋아하신다. 그는 종종 스파게티를 만드신다.
☐ → ☐

4 He loves sports games. He plays <u>it</u> every weekend.
그는 스포츠 게임을 매우 좋아한다. 그는 주말마다 그것들을 한다.
☐ → ☐

5 You and your friends are nice. <u>They</u> always help me.
너와 네 친구들은 친절하다. 너희들은 늘 나를 도와준다.
☐ → ☐

6 I love my grandma. I visit <u>him</u> every week.
나는 할머니를 사랑한다. 나는 그녀를 매주 방문한다.
☐ → ☐

7 Jina and Tom are hungry. <u>You</u> want some pizza.
Jina와 Tom은 배가 고프다. 그들은 피자를 원한다.
☐ → ☐

8 John, we are busy now. Help <u>them</u>.
John, 우리는 지금 바빠. 우리를 도와줘.
☐ → ☐

WORD BANK wash 씻다 cooking 요리 weekend 주말 always 늘, 항상 busy 바쁜

Answers p.6

주어진 단어와 인칭대명사를 이용하여 우리말에 맞게 영작하세요.

1 이 아이는 Tom이다. **그는** 내 남동생이다. (is, my brother)

This is Tom. [He] [is] [my brother.]
그는 / 이다 / 내 남동생

2 엄마는 책을 좋아하신다. **그녀는** 책을 많이 사신다. (buys, many books)

Mom likes books. [ ] [ ] [ ]
그녀는 / 사신다 / 많은 책을

3 Smith 선생님은 나의 선생님이시다. **나는 그녀를** 매우 좋아한다. (like, very much)

Ms. Smith is my teacher. [ ] [ ] [ ] [ ]
나는 / 좋아한다 / 그녀를 / 매우

4 너는 야구를 좋아한다. **너는 그것을** 자주 한다. (play, often)

You like baseball. [ ] [ ] [ ] [ ]
너는 / 한다 / 그것을 / 자주

5 그것들은 내 연필이다. **나는 그것들을** 매일 사용한다. (use, every day)

They are my pencils. [ ] [ ] [ ] [ ]
나는 / 사용한다 / 그것들을 / 매일

6 Sam과 나는 친구이다. **우리는** 같은 동아리에 있다. (are, in the same club)

Sam and I are friends. [ ] [ ] [ ]
우리는 / 있다 / 같은 동아리에

7 Lisa와 Tom은 캐나다에서 왔다. **나는 그들을** 잘 안다. (know, well)

Lisa and Tom are from Canada. [ ] [ ] [ ] [ ]
나는 / 안다 / 그들을 / 잘

Answers p.6

A 인물 소개하기

밑줄 친 부분에 유의하여 빈칸에 알맞은 인칭대명사를 써서 문장을 완성하세요.

1

This is Jack.

He has two sisters.

2

This is Ben.

Ben and I are friends.

_______ are in the same class.

3

They are Lucy and Anna.

They are friendly.

I really like _______.

B 친구 소개하기

보기 에서 알맞은 말을 골라 Jane에 관한 글을 완성하세요.

보기 ~~she~~ them him it

This is my friend, Jane. ① She has one brother. His name is Mike. She loves ② _______ very much. Jane likes comic books. She reads ③ _______ every day. Jane and Mike like basketball. They play ④ _______ together.

UNIT

05

인칭대명사 2

Point 1 소유격

Point 2 소유대명사

- 우리말에서 '나의 우산', '나의 것'이라고 말하는 것처럼 영어에서도 누구의 것인지 소유를 나타내는 표현이 있어요.

It is my umbrella.
그것은 **나의** 우산이다.

The umbrella is mine.
그 우산은 **나의 것**이다.

Point 1

소유격

소유격은 소유를 나타내는 말로 '~의'라는 의미이며, 「소유격+명사」의 형태로 써요.

1 인칭대명사의 소유격

This is my smartphone. 이것은 나의 스마트폰이다.

		주격		소유격	
1인칭	단수	I	나는	my	나의
	복수	we	우리는	our	우리의
2인칭	단수	you	너는	your	너의
	복수		너희들은		너희들의
3인칭	단수	he she it	그는 그녀는 그것은	his her its	그의 그녀의 그것의
	복수	they	그들은, 그것들은	their	그들의, 그것들의

2 명사의 소유격

명사는 뒤에 's를 붙여서 「명사+'s」의 형태로 소유격을 나타내요.

Tom's bike Tom의 자전거 the girl's bike 그 소녀의 자전거

cf. -s로 끝나는 복수 명사의 소유격은 뒤에 아포스트로피(')만 붙여요.
the girls' bikes 그 소녀들의 자전거

우리말에 맞게 빈칸에 알맞은 소유격을 쓰세요.

1 나의 자동차 → my car
2 그녀의 사진 → ________ photo
3 너의 책들 → ________ books
4 그들의 이야기 → ________ story
5 그의 가방 → ________ bag
6 우리의 학교 → ________ school

Answers p.7

우리말에 맞게 괄호 안에서 알맞은 것을 고르세요.

1 이것은 **그녀의** 우산이다. → This is (she / her) umbrella.

2 **너의** 가방은 소파 위에 있다. → (Your / Our) bag is on the sofa.

3 나는 **너의** 새 머리 스타일이 마음에 든다. → I like (you / your) new hairstyle.

4 나는 **나의** 방을 매일 청소한다. → I clean (me / my) room every day.

5 나는 **그 소년의** 아버지를 안다. → I know (the boy / the boy's) father.

6 나는 **그녀의** 전화번호가 필요하다. → I need (his / her) phone number.

7 **그의** 고향은 뉴욕이다. → (Her / His) hometown is New York.

8 **그들의** 컴퓨터는 매우 오래되었다. → (Their / Them) computer is very old.

9 나는 **그 소녀들의** 이름을 기억한다. → I remember (the girls' / the girls's) names.

10 **우리의** 영어 선생님은 캐나다에서 오셨다. → (We / Our) English teacher is from Canada.

Point 2 소유대명사

소유대명사는 '~의 것'이라는 의미이며, 「소유격+명사」를 대신하는 말이기 때문에 뒤에 명사가 오지 않아요.

1 인칭대명사의 소유대명사

This is **my smartphone**. 이것은 **나의** 스마트폰이다.
This is mine. 이것은 **나의** 것이다.

		소유격		소유대명사	
1인칭	단수	my	나의	**mine**	나의 것
	복수	our	우리의	**ours**	우리의 것
2인칭	단수	your	너의	**yours**	너의 것
	복수		너희들의		너희들의 것
3인칭	단수	his her its	그의 그녀의 그것의	**his** **hers** –	그의 것 그녀의 것 –
	복수	their	그들의, 그것들의	**theirs**	그들의 것, 그것들의 것

2 명사의 소유대명사

명사의 소유격과 마찬가지로 「명사+'s」의 형태로 소유대명사를 나타내요.

This is **Amy's bag**. 이것은 Amy의 가방이다. 〈명사의 소유격〉
This bag is Amy's. 이 가방은 Amy의 것이다. 〈명사의 소유대명사〉

주어진 단어의 우리말 뜻을 쓰세요.

1 mine → 나의 것
2 yours → ______
3 his → ______
4 hers → ______
5 ours → ______
6 theirs → ______

Check Up 2 소유격과 소유대명사 고르기

Answers p.7

우리말에 맞게 괄호 안에서 알맞은 것을 고르세요.

1 이 펜은 **나의 것**이다. → This pen is (my / mine).

2 그 개는 **우리의 것**이다. → The dog is (ours / our).

3 **그녀의** 이름은 Jina이다. → (Her / Hers) name is Jina.

4 그 책들은 **그의 것**이다. → The books are (he / his).

5 그 자전거들은 **너의 것**이다. → The bikes are (you / yours).

6 그 가방들은 **그들의 것**이다. → The bags are (theirs / their).

7 그 신발은 **Kevin의 것**이다. → The shoes are (Kevin / Kevin's).

8 그 전화번호는 **엄마의 것**이다. → The phone number is (Mom's / Mom).

9 **그의** 아이들은 초등학생이다. → (He / His) kids are elementary school students.

10 Sam은 토끼가 있다. **그것의** 눈은 매우 크다.
→ Sam has a rabbit. (It / Its) eyes are very big.

우리말에 맞게 주어진 단어와 알맞은 소유격 또는 소유대명사를 써서 문장을 완성하세요.

1 It is ___my___ ___room___. (room) 그것은 나의 방이다.
The room is ___mine___. 그 방은 나의 것이다.

2 This is ______ ______. (phone) 이것은 그의 전화기이다.
The phone is ______. 그 전화기는 그의 것이다.

3 This is ______ ______. (house) 이것은 그들의 집이다.
The house is ______. 그 집은 그들의 것이다.

4 It is ______ ______. (pen) 그것은 너의 펜이다.
The pen is ______. 그 펜은 너의 것이다.

5 ______ ______ is blue. (bike) 그의 자전거는 파란색이다.
______ is green. 그녀의 것은 초록색이다.

6 ______ ______ is on the table. (bag) 우리의 가방은 탁자 위에 있다.
______ is under the table. 너희들의 것은 탁자 아래에 있다.

7 It is ______ ______. (cat) 그것은 우리의 고양이이다.
The cat is ______. 그 고양이는 우리의 것이다.

TRAINING 2 사진 보고 문장 완성하기

Answers p.7

사진을 보고 주어진 단어를 알맞은 형태로 고쳐 문장을 완성하세요. (반드시 한 단어로 쓸 것)

1

The coat is ___mine___. (I)

2

This is __________ bike. (she)

3

The notebook is __________. (you)

4

It is __________ watch. (Emily)

5

They are __________ shoes. (he)

6

The backpacks are __________. (we)

WORD BANK coat 코트 notebook 공책 watch 손목시계 backpack 배낭, 가방

TRAINING 3 틀린 문장 고쳐 쓰기

밑줄 친 부분이 우리말에 맞으면 O, 틀리면 X 표를 한 후 틀린 부분을 바르게 고쳐 쓰세요.

1. This is mine cap.
이것은 내 모자이다.
X → my

2. I like Jenny voice.
나는 Jenny의 목소리가 마음에 든다.
( ) → ( )

3. The bag is his's.
그 가방은 그의 것이다.
( ) → ( )

4. Theirs room has two windows.
그들의 방에는 창문이 두 개 있다.
( ) → ( )

5. That pen is your.
저 펜은 너의 것이다.
( ) → ( )

6. The teacher often forgets students's names.
그 선생님은 종종 학생들의 이름을 잊어버린다.
( ) → ( )

7. Her dog has long ears.
그녀의 개는 귀가 길다.
( ) → ( )

8. It wings are very big.
그것의 날개는 매우 크다.
( ) → ( )

WORD BANK voice 목소리 forget 잊다, 잊어버리다 wing 날개

Answers p.7

주어진 단어와 소유격 또는 소유대명사를 이용하여 우리말에 맞게 영작하세요.

1 그 연필은 **나의 것**이다. (The pencil, is)

The pencil	is	mine.
그 연필은	이다	나의 것

2 나는 **너의** 자전거가 마음에 든다. (like, bike)

나는	좋아한다	너의 자전거를

3 **우리의** 영어 선생님은 호주에서 오셨다. (English teacher, is, from Australia)

우리의 영어 선생님은	이다	호주에서 온

4 나는 **그의** 전화번호를 안다. (know, phone number)

나는	안다	그의 전화번호를

5 그 차는 **그녀의 것**이다. (The car, is)

그 차는	이다	그녀의 것

6 **Jina의** 고향은 서울이다. (hometown, is, Seoul)

Jina의 고향은	이다	서울

7 그녀는 **그 소녀의** 목소리를 기억한다. (remembers, the girl, voice)

그녀는	기억한다	그 소녀의 목소리를

서술형 WRITING

Answers p.7

A 소유 표현하기

빈칸에 알맞은 인칭대명사를 써서 대화를 완성하세요.

1

A His name is Jake. He plays the guitar.

B Is it Jake's guitar?

A Yes, it's ____________ guitar.

2

A They are my friends, Bill and Mary.

B Where are they from?

A ____________ hometown is London.

B 물건 주인 찾기

다음은 나무 아래에 여러 친구들이 물건을 둔 상황입니다. 그림을 보고 보기 에서 알맞은 말을 골라 소유를 나타내는 문장을 완성하세요.

보기 ~~her~~ mine his hers

1 The red jacket is Amy's. ____Her____ cap is yellow.

2 The blue cap is John's. The red shoes are ____________, too.

3 My backpack and Jina's backpack are here, too.

____________ is purple and ____________ is pink.

UNIT

06

지시대명사와 지시형용사

Point 1 지시대명사

Point 2 지시형용사

• '이것, 저것'처럼 어떤 것을 가리키며 말할 때 지시대명사 this와 that을 사용해요.

This is my house.
이것은 나의 집이다.

That is your house.
저것은 너의 집이다.

1 지시대명사

this와 that을 지시대명사라고 하고, 가까이 있는 것에는 this, 멀리 있는 것에는 that을 써요.

1 **this**: '이것' 혹은 '이 사람'이라는 의미이며, 복수형은 these예요.

This is my bag.
이것은 내 가방이다.

→

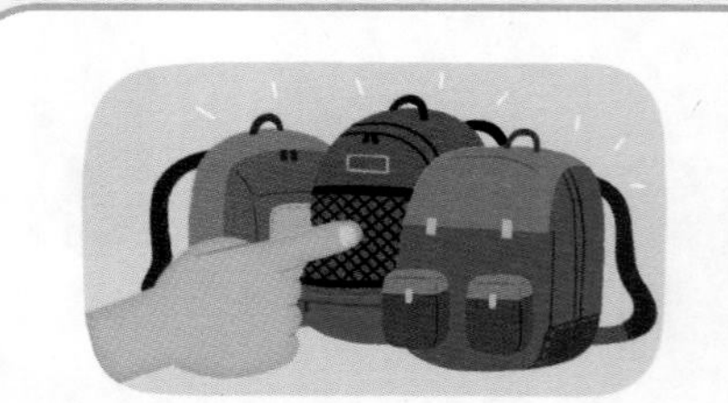

These are your bags.
이것들은 너희들의 가방이다.

2 **that**: '저것' 혹은 '저 사람'이라는 의미이며, 복수형은 those예요.

That is your book.
저것은 너의 책이다.

→

Those are your books.
저것들은 너의 책이다.

조심해요! 지시대명사가 복수형이면 동사와 뒤에 오는 명사도 복수형에 맞게 써야 해요.
These is rabbit. (X)   These are rabbits. (O)

1 지시대명사의 의미 고르기

밑줄 친 부분의 우리말 뜻을 고르세요.

1 This is my sister. → (이 사람 / 이것)

2 That is my piano. → (저것 / 저 사람)

3 These are their notebooks. → (이것들 / 저것들)

Check Up 2 알맞은 지시대명사 쓰기

Answers p.8

우리말에 맞게 빈칸에 알맞은 지시대명사를 쓰세요.

1 이것은 나의 자전거이다. → This is my bike.

2 저것은 우리 집이다. → ________ is our house.

3 이것들은 유명한 그림들이다. → ________ are famous pictures.

4 이것들은 한국에서 인기 있는 노래들이다. → ________ are popular songs in Korea.

5 이것은 어려운 질문이다. → ________ is a difficult question.

6 저것들은 Kevin의 양말이다. → ________ are Kevin's socks.

7 이것은 나의 새 컴퓨터이다. → ________ is my new computer.

8 저것들은 그가 제일 좋아하는 게임들이다. → ________ are his favorite games.

9 저분은 Smith 씨다. → ________ is Mr. Smith.

10 저것은 Kate의 필통이다. → ________ is Kate's pencil case.

Point

2 지시형용사

1 this와 that이 명사 앞에 쓰이면 '이 ~', '저 ~'의 의미를 나타내요. 이를 지시형용사라고 해요.

This is a red pen.	이것은 빨간 펜이다.	〈지시대명사〉
This **pen** is mine.	이 펜은 내 것이다.	〈지시형용사〉

2 this와 that 뒤에는 단수 명사, these와 those 뒤에는 복수 명사가 와요.

This + 단수 명사

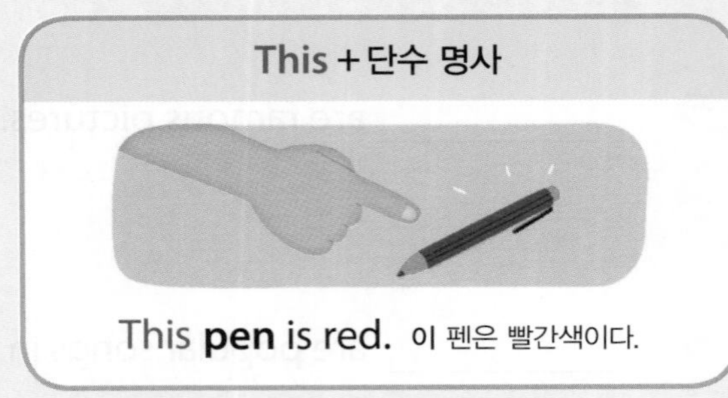

This **pen** is red. 이 펜은 빨간색이다.

→

These + 복수 명사

These **pens** are red. 이 펜들은 빨간색이다.

That + 단수 명사

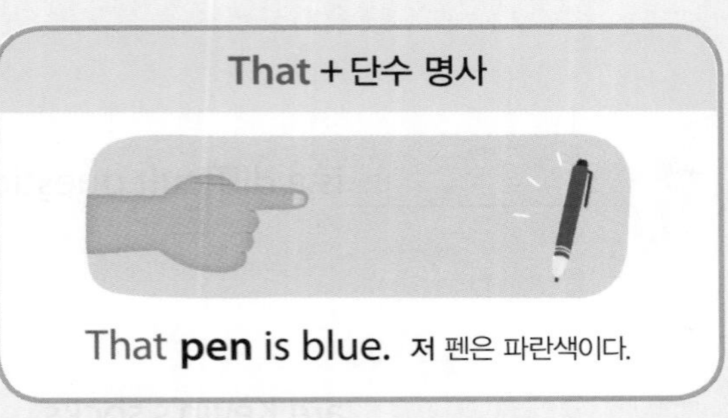

That **pen** is blue. 저 펜은 파란색이다.

→

Those + 복수 명사

Those **pens** are blue. 저 펜들은 파란색이다.

조심해요! 지시형용사가 복수형일 때는 뒤에 오는 명사도 반드시 복수형으로 써야 해요.

Those ball are mine. (X)　　Those balls are mine. (O)

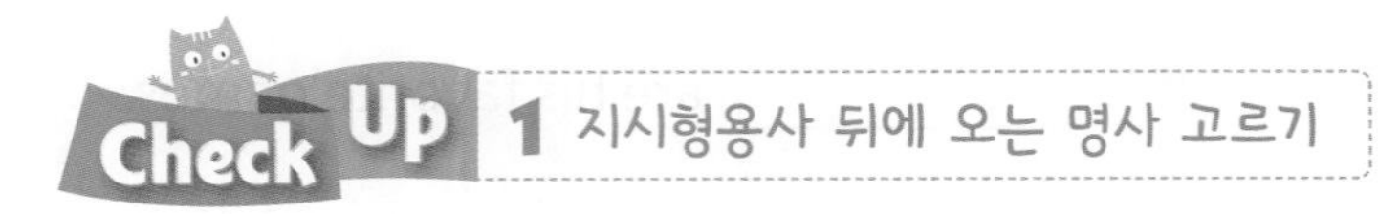

1 지시형용사 뒤에 오는 명사 고르기

괄호 안에서 알맞은 것을 고르세요.

1 this (ball / balls)　　2 that (child / children)

3 those (boy / boys)　　4 that (room / rooms)

5 (that / those) leaves　　6 (this / these) movies

Check Up 2 알맞은 지시형용사 고르기

Answers p.8

우리말에 맞게 괄호 안에서 알맞은 것을 고르세요.

1 이 사과는 빨간색이다. → (This / These) apple is red.

2 저 차는 빠르다. → (That / Those) car is fast.

3 이 고양이들은 귀엽다. → (These / Those) cats are cute.

4 저 책들은 오래되었다. → (These / Those) books are old.

5 이 바지는 새것이다. → (They / These) pants are new.

6 이 학생들은 미국에서 왔다. → These (student / students) are from the U.S.

7 나는 저 사진을 좋아한다. → I like that (pictures / picture).

8 나는 저 소녀를 안다. → I know (this / that) girl.

9 저 아이들은 내 사촌들이다. → (That / Those) kids are my cousins.

10 나는 저 공책들이 필요하다. → I need those (notebook / notebooks).

우리말에 맞게 알맞은 지시대명사 또는 지시형용사를 써서 문장을 완성하세요.

1 This is my picture. 이것은 나의 사진이다.

These are my pictures. 이것들은 나의 사진들이다.

2 This is my favorite book. 이것은 내가 제일 좋아하는 책이다.

________ are my favorite books. 이것들은 내가 제일 좋아하는 책들이다.

3 That is her backpack. 저것은 그녀의 배낭이다.

________ are her backpacks. 저것들은 그녀의 배낭들이다.

4 ________ is a fast computer. 이것은 빠른 컴퓨터이다.

________ ________ is fast. 이 컴퓨터는 빠르다.

5 ________ is a famous museum. 저것은 유명한 박물관이다.

________ ________ is famous. 저 박물관은 유명하다.

6 ________ ________ is interesting. 이 영화는 재미있다.

________ ________ are interesting. 이 영화들은 재미있다.

7 I like ________ ________. 나는 저 노래를 좋아한다.

I like ________ ________. 나는 저 노래들을 좋아한다.

TRAINING 2 그림 보고 문장 완성하기

Answers p.8

그림을 보고 보기 에서 알맞은 말을 골라 문장을 완성하세요. (한 단어를 여러 번 사용 가능)

보기	this	that	these	those	flower	boy	building	girl

1

This is my bike.

2

________ are Emily's books.

3

________ ________ is a soccer player.

4

________ ________ are my friends.

5

________ ________ are mine.

6

________ ________ is very tall.

WORD BANK soccer player 축구 선수 flower 꽃 building 건물, 빌딩 tall 높은

TRAINING 3 틀린 문장 고쳐 쓰기

밑줄 친 부분이 우리말에 맞으면 O, 틀리면 X 표를 한 후 틀린 부분을 바르게 고쳐 쓰세요.

1 This are my best friends.
이 사람들은 나의 가장 친한 친구들이다.
X → These

2 These room are very small.
이 방들은 매우 작다.
( ) → ( )

3 My father works in these building.
나의 아버지는 이 건물에서 일하신다.
( ) → ( )

4 This movies are really boring.
이 영화들은 정말 지루하다.
( ) → ( )

5 These are my favorite subject.
이것들은 내가 가장 좋아하는 과목들이다.
( ) → ( )

6 I listen to these song every day.
나는 이 노래들을 매일 듣는다.
( ) → ( )

7 Those houses are very old.
저 집들은 매우 오래되었다.
( ) → ( )

8 That stories are very popular.
저 이야기들은 아주 인기가 있다.
( ) → ( )

WORD BANK boring 지루한 subject 과목 listen to ~을 듣다 popular 인기 있는

Answers p.8

주어진 단어와 지시대명사 또는 지시형용사를 이용하여 우리말에 맞게 영작하세요.

1 이것은 인기 있는 노래이다. (is, a popular song)

This	is	a popular song.
이것은	이다	인기 있는 노래

2 이 사람은 나의 가장 친한 친구이다. (is, my best friend)

이 사람은	이다	나의 가장 친한 친구

3 저것은 그의 배낭이다. (is, his backpack)

저것은	이다	그의 배낭

4 저 별은 아름답다. (star, is, beautiful)

저 별은	이다	아름다운

5 저 건물들은 오래됐다. (buildings, are, old)

저 건물들은	이다	오래된

6 이 문제들은 어렵다. (questions, are, difficult)

이 문제들은	이다	어려운

7 이 소년은 매일 야구를 한다. (boy, plays, baseball, every day)

이 소년은	한다	야구를	매일

서술형 WRITING

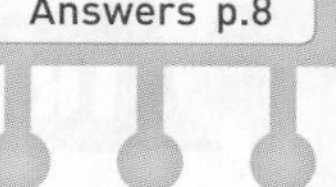

A 물건 가리키기

그림을 보고 보기 에서 알맞은 말을 골라 문장을 완성하세요.

보기 ~~this~~ these that those

1

This computer is new.

_______ computer is old.

2

_______ flowers are red.

_______ flowers are yellow.

B 지시 나타내기

다음은 **Emily**와 **Tom**이 놀이공원에 있는 상황입니다. 그림을 보고 **This/That/These/Those**를 이용하여 문장을 완성하세요.

Hi, I'm Emily.

1 This is my ice cream. That is Tom's ice cream.

2 _______ ice cream is big. _______ _______ is small.

3 _______ are my balloons. _______ are Tom's balloons.

4 _______ balloons are yellow. _______ _______ are blue.

UNIT

07

be동사 현재형 1

Point 1 be동사의 형태와 의미

Point 2 여러 가지 주어와 be동사

• be동사는 '~이다'라는 의미로, 주어에 따라 모양이 달라져요.

I am a singer.
나는 가수이다.

My band is famous.
우리 밴드는 유명하다.

be동사의 형태와 의미

1 be동사의 형태: be동사는 주어에 따라 am, are, is 세 가지 형태로 쓰이며, 주격 인칭대명사와 be동사는 줄여 쓸 수 있어요.

I	am	in the library.
He She It	is	
We You They	are	

줄임말
I'm
He's She's It's
We're You're They're

2 be동사의 의미: '~(이)다' 혹은 '~에 있다'라는 의미이며, be동사 다음에 오는 말은 다음과 같아요.

I	am	a cook. happy. at the park.

나는 요리사이다. 〈be동사+명사〉
나는 행복하다. 〈be동사+형용사〉
나는 공원에 있다. 〈be동사+장소〉

조심해요!

it's와 its

it's는 **it is**의 줄임말이고 **its**는 '그것의'라는 의미로 소유격 인칭대명사임에 주의하세요.

It's a rabbit. 그것은 토끼이다. Its ears are big. 그것의 귀는 크다.

1 주어에 알맞은 be동사 쓰기

주어에 알맞은 be동사를 쓰세요.

	주어	be동사
1	I	am
3	They	
5	We	

	주어	be동사
2	He	
4	You	
6	It	

Check Up 2 be동사의 의미 고르기

Answers p.9

다음 문장에서 be동사에 동그라미 하고, 해당하는 의미를 고르세요.

1 I (am) a pilot. ☑ ~이다 ☐ ~에 있다

2 I am in the classroom. ☐ ~이다 ☐ ~에 있다

3 She is my friend. ☐ ~이다 ☐ ~에 있다

4 They are in my pocket. ☐ ~이다 ☐ ~에 있다

5 We are singers. ☐ ~이다 ☐ ~에 있다

6 He is at the park. ☐ ~이다 ☐ ~에 있다

Check Up 3 「주어+be동사」의 줄임말 쓰기

밑줄 친 부분을 줄임말로 바꿔 쓰세요.

1 I am a police officer. → I'm a police officer.

2 He is Chinese. → ______ Chinese.

3 It is on the table. → ______ on the table.

4 We are sad. → ______ sad.

5 You are very smart. → ______ very smart.

6 She is in the bathroom. → ______ in the bathroom.

7 They are good students. → ______ good students.

여러 가지 주어와 be동사

be동사는 인칭대명사 이외에도 다양한 주어와 함께 쓰여요. 주어가 단수이면 is, 복수이면 are를 써요.

1 주어가 지시대명사일 때

단수일 때	**This** is a ball.	**That** is a ball. (= That's a ball.)
복수일 때	**These** are balls.	**Those** are balls.

cf. 주어가 지시대명사일 때는 That is만 That's로 줄여 쓸 수 있어요.

2 주어가 명사일 때

단수일 때	**The cat** is fat.	〈단수 명사〉
	Happiness is important.	〈셀 수 없는 명사〉
복수일 때	**The cats** are fat.	〈복수 명사〉
	Tom and John are brothers.	〈and로 연결된 주어〉

조심해요! 주어가 「소유격+명사」인 경우 be동사의 형태에 주의하세요.
My friends is from Australia. (X) **My friends** are from Australia. (O)

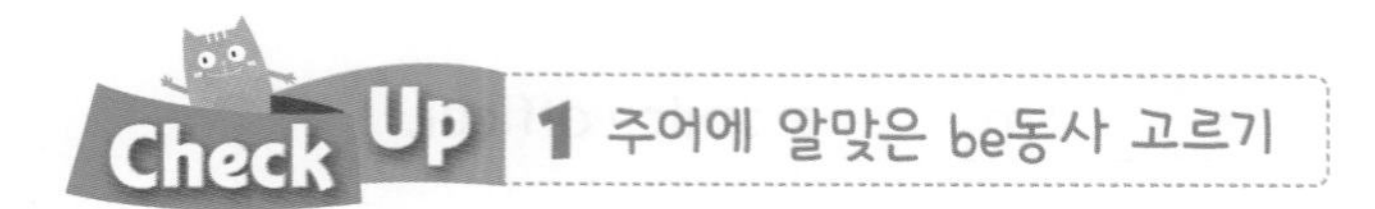

괄호 안에서 알맞은 것을 고르세요.

1 Mr. Jones (is / are) a farmer.

2 These bags (is / are) cheap.

3 Those (is / are) his shoes.

4 The cheese (is / are) in the refrigerator.

5 Kevin and Emily (is / are) my best friends.

Check Up 2 be동사에 알맞은 주어 고르기

Answers p.9

괄호 안에서 알맞은 것을 고르세요.

1 (This / These) are boxes.

2 (That / Those) is Jenny's notebook.

3 (Mom / Mom and Dad) are in the kitchen now.

4 (The dogs / The dog) is very hungry.

5 (Ted / Ted and his friend) are in the classroom.

6 (This building / These buildings) is very tall.

Check Up 3 주어에 알맞은 be동사 쓰기

빈칸에 알맞은 be동사를 쓰세요.

1 His camera ___is___ new.

2 Her ideas ________ good.

3 These rooms ________ very small.

4 That cat ________ really cute.

5 Those benches ________ wet.

6 John and Sam ________ often late for school.

빈칸에 알맞은 be동사를 써서 문장을 완성하세요.

1 John ____is____ late today. John은 오늘 늦었다.
John and Kate ____are____ late today. John과 Kate는 오늘 늦었다.

2 The toy __________ in the box. 그 장난감은 상자 안에 있다.
The toys __________ in the box. 그 장난감들은 상자 안에 있다.

3 Her bike __________ old. 그녀의 자전거는 낡았다.
Their bikes __________ old. 그들의 자전거들은 낡았다.

4 This chair __________ broken. 이 의자는 부러졌다.
These chairs __________ broken. 이 의자들은 부러졌다.

5 I __________ in my room now. 나는 지금 내 방에 있다.
My brother and I __________ in my room now. 내 남동생과 나는 지금 내 방에 있다.

6 He __________ our homeroom teacher. 그는 우리의 담임 선생님이시다.
They __________ our math teachers. 그들은 우리의 수학 선생님들이시다.

7 Mr. White __________ a movie star. White 씨는 영화배우이다.
Mr. White's sons __________ movie stars. White 씨의 아들들은 영화배우이다.

TRAINING 2 사진 보고 문장 완성하기

Answers p.9

사진을 보고 보기 에서 알맞은 말을 골라 문장을 완성하세요. (적절한 be동사를 추가할 것)

보기 ~~in the park~~ happy from France busy big on the table

1

The kids ___are___ ___in the park___.

2

Your book _______ _______.

3

The girls _______ _______.

4

This room _______ _______.

5

Those students _______ _______.

6

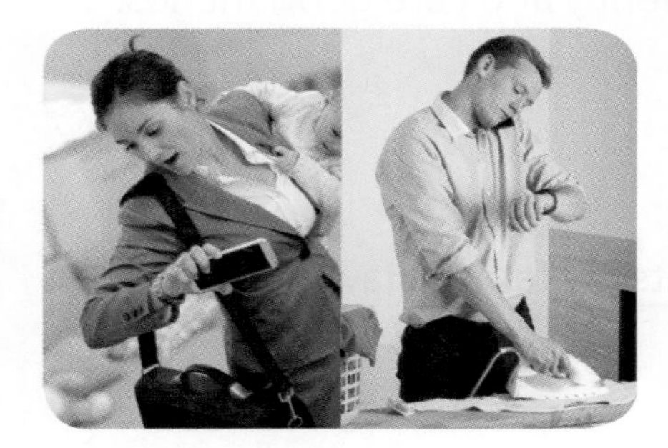

Mom and Dad _______ _______ now.

WORD BANK France 프랑스 busy 바쁜 now 지금

밑줄 친 부분이 맞으면 O, 틀리면 X 표를 한 후 틀린 부분을 바르게 고쳐 쓰세요.

1 Sam and Emily is in the same club. [X] → [are]

2 My friends is important to me. [ ] → [ ]

3 The birds is in the nest. [ ] → [ ]

4 Their brother are a famous singer. [ ] → [ ]

5 Mom and Dad is very tired today. [ ] → [ ]

6 Jenny and I are good friends. [ ] → [ ]

7 Its my father's favorite book. [ ] → [ ]

8 This's my friend, Paul. [ ] → [ ]

WORD BANK important 중요한 nest 둥지 famous 유명한 singer 가수 tired 피곤한 favorite 가장 좋아하는

Answers p.9

주어진 단어와 be동사를 이용하여 우리말에 맞게 영작하세요.

1 우리는 6학년이다. (in the sixth grade)

We	are	in the sixth grade.
우리는	이다	6학년

2 Sam과 Jina는 나의 반 친구들이다. (Sam and Jina, my classmates)

Sam과 Jina는	이다	나의 반 친구들

3 이 그림은 유명하다. (painting, famous)

이 그림은	이다	유명한

4 저 소년들은 스페인에서 왔다. (boys, from Spain)

저 소년들은	이다	스페인에서 온

5 나의 남동생은 도서관에 있다. (My brother, in the library)

나의 남동생은	있다	도서관에

6 이것들은 인기 있는 게임들이다. (popular games)

이것들은	이다	인기 있는 게임들

7 사랑은 모두에게 중요하다. (Love, important, for everyone)

사랑은	이다	중요한	모두에게

서술형 WRITING

Answers p.9

A 사진 묘사하기

빈칸에 알맞은 be동사를 써서 문장을 완성하세요.

1

We ___________ students.

2

I ___________ an only child.

3

He ___________ happy.

*only child 외동

B 이웃 소개하기

밑줄 친 부분을 바르게 고쳐 이웃을 소개하는 글을 완성하세요.

These ① is my neighbors, Mr. and Ms. Green.
They ② is from Australia.
Mr. Green ③ are a cook.
Ms. Green ④ am an English teacher.
They have a dog. It ⑤ are cute.

*neighbor 이웃(사람)

These ① ____are____ my neighbors, Mr. and Ms. Green.
They ② ___________ from Australia.
Mr. Green ③ ___________ a cook.
Ms. Green ④ ___________ an English teacher.
They have a dog. It ⑤ ___________ cute.

UNIT

08

be동사 현재형 2

Point 1 be동사의 부정문

Point 2 be동사의 의문문

• 부정문은 '~이 아니다'라는 뜻을 나타내는 문장이고, 의문문은 '~이니?'라고 물어보는 문장이에요.

He is not hungry. 〈부정문〉
그는 배고프지 않다.

Is he hungry? 〈의문문〉
그는 배고프니?

be동사의 부정문

1 be동사의 부정문은 be동사 뒤에 not을 써서 나타내며, '~이 아니다, ~에 없다'라는 의미예요.

He **is** my teacher.	그는 나의 선생님이다.	〈긍정문〉
He **is** not my teacher.	그는 나의 선생님이 아니다.	〈부정문〉

2 be동사의 부정문은 주어의 인칭에 따라 다음과 같이 써요. is not과 are not은 각각 isn't와 aren't로 줄여 쓸 수 있어요.

I	am not	in my room.
He She It	is not (= isn't)	
We You They	are not (= aren't)	

조심해요! 1인칭 I am not의 경우는 주어와 동사만 줄여 쓸 수 있어요.
I am not → I amn't (X) I am not → I'm not (O)

Check Up 1 be동사의 부정문 완성하기

다음 문장을 부정문으로 바꿀 때 빈칸에 알맞은 말을 쓰세요.

1 I am a doctor. → I ___am___ ___not___ a doctor.

2 She is tired. → She ______ ______ tired.

3 We are busy now. → We ______ ______ busy now.

4 He is a kind man. → He ______ ______ a kind man.

5 They are expensive. → They ______ ______ expensive.

Check Up 2 be동사의 부정문 고르기

Answers p.10

괄호 안에서 알맞은 것을 고르세요.

1 I (am not / is not) sleepy.
He (am not / is not) late.

2 He (are not / is not) a basketball player.
You (are not / is not) a baseball player.

3 They (are not / is not) my glasses.
It (are not / is not) his book.

4 Emily (is not / are not) Canadian.
Emily and Jina (is not / are not) my classmates.

5 We (aren't / isn't) ready.
He (aren't / isn't) shy.

6 (I'm not / I amn't) in the soccer club.
They (aren't / isn't) in the book club.

7 The cat (aren't / isn't) on the chair.
The keys (aren't / isn't) in my bag.

be동사의 의문문

1 be동사의 의문문은 be동사를 주어 앞에 쓰고 문장 끝에 물음표(?)를 붙여서 나타내요. '~이니?, ~에 있니?'라는 의미예요.

You are in the bathroom. 너는 욕실에 있다. 〈평서문〉
Are you in the bathroom? 너는 욕실에 있니? 〈의문문〉

Am	I	famous?
Is	he she it	
Are	we you they	

2 be동사의 의문문에 대한 대답은 다음과 같아요. 부정의 대답에서는 주로 be동사와 not을 줄여 써요.

긍정의 대답	Yes, 주어+be동사.	A Is she your friend? 그녀는 너의 친구이니?
부정의 대답	No, 주어+be동사+not.	B Yes, she is. 응, 그래. / No, she isn't. / 아니, 그렇지 않아.

조심해요!
주어가 and로 연결되는 복수형인 경우 be동사의 형태에 주의하세요.
Are Tom and Jenny your friends? Tom과 Jenny는 너의 친구들이니?
(Tom and Jenny: 주어)

괄호 안에서 알맞은 것을 고르세요.

1 (Are / Is) he a scientist?

2 (Am / Are) you a singer?

3 (Are / Is) it your cat?

4 (Are / Is) your friends kind?

5 (Am / Is) I wrong?

6 (Are / Is) she in the room?

Check Up 2 be동사의 의문문 완성하기

Answers p.10

다음 문장을 의문문으로 바꿀 때 빈칸에 알맞은 말을 쓰세요.

1 He is a lawyer. → ___Is___ ___he___ a lawyer?

2 I am late. → ______ ______ late?

3 You are a police officer. → ______ ______ a police officer?

4 It is your T-shirt. → ______ ______ your T-shirt?

5 We are ready. → ______ ______ ready?

6 They are in Paris now. → ______ ______ in Paris now?

7 She is from Spain. → ______ ______ from Spain?

8 Tom and Sam are on the stage. → ______ Tom and Sam on the stage?

Check Up 3 be동사의 의문문과 대답 연결하기

다음 의문문에 대한 대답으로 알맞은 것을 골라 연결하세요.

1 Are you a student? •　　• ⓐ No, they aren't.

2 Is she a doctor? •　　• ⓑ Yes, I am.

3 Are they in the room? •　　• ⓒ No, it isn't.

4 Is it funny? •　　• ⓓ Yes, she is.

TRAINING 1 사진 보고 문장 완성하기

사진을 보고 빈칸에 알맞은 말을 써서 문장을 완성하세요. (부정문은 줄임말로 쓸 것)

1

He __isn't__ a soccer player.

He __is__ a baseball player.

2

We ______ on the playground.

We ______ in the library.

3

It ______ a butterfly.

It ______ a honeybee.

4

A ______ they in the park?

B ______, they ______.

5

A ______ she happy?

B ______, she ______.

6

A ______ he a pilot?

B ______, he ______.

WORD BANK

playground 운동장, 놀이터　butterfly 나비　honeybee 꿀벌　pilot 비행기 조종사

TRAINING 2 틀린 문장 고쳐 쓰기

Answers p.10

밑줄 친 부분이 맞으면 O, 틀리면 X 표를 한 후 틀린 부분을 바르게 고쳐 쓰세요.

1 You isn't a good swimmer. [X] → aren't

2 Paul aren't home now. [ ] →

3 I amn't in the book club. [ ] →

4 Is Sam and Tom good boys? [ ] →

5 Am we late for class? [ ] →

6 Are Mr. Kim your English teacher? [ ] →

7 Is she famous? – Yes, she is. [ ] →

8 Are you sick? – No, you aren't. [ ] →

WORD BANK swimmer 수영하는 사람, 수영 선수 home 집에 sick 아픈

다음 문장을 지시대로 바꿔 쓰세요. (부정문은 줄임말로 쓸 것)

1 She is a famous pianist.
부정문 → She isn't a famous pianist.

2 They are fresh.
부정문 → ____________________

3 I am a good dancer.
부정문 → ____________________

4 Paul is in the music room.
부정문 → ____________________

5 You are in the fifth grade.
의문문 → ____________________

6 They are from Canada.
의문문 → ____________________

7 This is your coat.
의문문 → ____________________

WORD BANK fresh 신선한 dancer 무용수, 댄서 fifth grade 5학년 coat 코트

Answers p.10

주어진 단어와 be동사를 이용하여 우리말에 맞게 영작하세요. (부정문은 줄임말로 쓸 것)

1 그는 유명한 배우가 아니다. (a famous actor)

He	isn't	a famous actor.
그는	아니다	유명한 배우가

2 그들은 도서관에 없다. (in the library)

그들은	없다	도서관에

3 그것은 내 교과서가 아니다. (my textbook)

그것은	아니다	내 교과서가

4 그 방은 깨끗하지 않다. (The room, clean)

그 방은	않다	깨끗한

5 너는 6학년이니? (in the sixth grade)

이니	너는	6학년

6 이것은 네 우산이니? (your umbrella)

이니	이것은	네 우산

7 John이 그녀의 남동생이니? (her brother)

이니	John이	그녀의 남동생

서술형 WRITING

Answers p.10

A 사진에 맞게 대화 완성하기

사진을 보고 주어진 단어와 be동사를 이용하여 대화를 완성하세요.

1

A ___Are___ ___you___ sad? (you)

B ___No___, I ___am not___.

2

A ________ ________ a tennis player? (she)

B ________, she ________.

3

A ________ ________ in the library? (they)

B ________, they ________.

B 거실 묘사하기

그림을 보고 보기 에서 알맞은 말을 골라 글을 완성하세요. (한 단어를 여러 번 사용 가능)

보기	is	is not	are	are not

This is my living room.

The sofa ① ___is not___ red.

The cat ② ________ under the sofa.

The piano ③ ________ black.

The windows ④ ________ open.

REVIEW TEST 2

Units 4-8

Answers p.11

1 짝 지어진 인칭대명사의 관계가 나머지와 다른 것을 고르세요.

① I – my
② you – your
③ he – his
④ we – us
⑤ they – their

2 빈칸에 들어갈 말이 순서대로 바르게 짝 지어진 것을 고르세요.

• We visit ___ⓐ (he)___ every month.
• I like ___ⓑ (you)___ dress.

	ⓐ		ⓑ
①	he	–	you
②	him	–	you
③	him	–	your
④	his	–	your
⑤	his	–	yours

도전문제

3 밑줄 친 부분의 쓰임이 잘못된 것을 고르세요.

① Tom calls me every day.
② The blue jacket is Kate's.
③ We play badminton every day.
④ Lisa often helps her little sister.
⑤ These baseball gloves are their.

4 빈칸에 들어갈 말로 알맞지 않은 것을 고르세요.

Jenny knows __________ well.

① me
② its
③ them
④ her
⑤ you

5 밑줄 친 부분의 쓰임이 바른 것을 고르세요.

① We sing this songs.
② I like that handsome boy.
③ These is Jina's pencil case.
④ That buildings are very tall.
⑤ This movies are very interesting.

6 밑줄 친 부분이 잘못된 것을 고르세요.

① Jina and I am friends.
② My cat is on the sofa now.
③ Many children are in the park.
④ Tom and his brother are friendly.
⑤ Our English teacher is from Canada.

7 빈칸에 들어갈 be동사의 형태가 나머지와 다른 것을 고르세요.

① We ________ classmates.
② The boys ________ brothers.
③ My mom ________ very kind.
④ The students ________ from Spain.
⑤ Emily and Jina ________ in the classroom.

8 빈칸에 들어갈 be동사의 형태가 바르게 짝 지어진 것을 고르세요.

- Sam ____ⓐ____ not a doctor.
- ____ⓑ____ she from China?

	ⓐ	ⓑ		ⓐ	ⓑ
①	am	– Are	②	are	– Are
③	are	– Is	④	is	– Is
⑤	is	– Am			

서술형

9 빈칸에 알맞은 형태의 인칭대명사를 써서 문장을 완성하세요.

Tony Mars is a singer. He is famous.
Many girls like __________.
__________ songs are beautiful.

10 밑줄 친 부분을 바르게 고쳐 쓰세요.

<u>This</u> children are their sons.

→ ____________________

11 대화의 빈칸에 알맞은 말을 쓰세요.

A __________ Mr. Brown your teacher?
Brown 씨가 너의 선생님이니?

B Yes, __________ is.
응, 그래.

12 주어진 문장을 지시대로 바꿔 쓰세요.

They are soccer players.

(1) 부정문으로
→ ____________________

(2) 의문문으로
→ ____________________

UNIT

09

일반동사 현재형 1

Point 1 일반동사의 쓰임과 형태 변화

Point 2 일반동사의 3인칭 단수형 만들기

• '놀다', '가다', '좋아하다'와 같은 동사를 일반동사라고 해요. 일반동사는 주어에 따라 형태가 달라지기도 해요.

I like cats.
나는 고양이를 **좋아한다.**

She likes cats.
그녀는 고양이를 **좋아한다.**

일반동사의 쓰임과 형태 변화

1 일반동사: 일반동사는 be동사를 제외한 동사로 주어의 동작이나 상태 등을 나타내요.

동작		
dance 춤추다	run	달리다
	swim	수영하다
	eat	먹다
	cook	요리하다

감정이나 상태		
think 생각하다	like	좋아하다
	have	가지고 있다
	want	원하다
	live	살다

2 일반동사의 형태 변화: 일반동사는 주어가 3인칭 단수일 때 동사의 원형에 -s 또는 -es를 붙여요.

I You We They	like milk.

He She It	likes milk.

조심해요! 문장에서 be동사와 일반동사를 같이 쓰지 않도록 주의하세요.
I am play the piano. (X) I play the piano. (O)

다음 문장에서 동사에 동그라미 하고, 일반동사인지 be동사인지 체크(✓)하세요.

		일반동사	be동사
1	I like ice cream.	✓	
2	He sings very well.		
3	She is a doctor.		
4	They have three children.		
5	We are in the library.		

Check Up 2 주어에 알맞은 일반동사의 형태 고르기

Answers p.12

괄호 안에서 알맞은 것을 고르세요.

1 I (like / likes) orange juice.
He (like / likes) apple juice.

2 She (swim / swims) every day.
We (swim / swims) every Sunday.

3 They (watch / watches) TV every day.
Tom (watch / watches) a movie every day.

4 Amy (play / plays) the violin well.
You (play / plays) the piano well.

5 He (talk / talks) very fast.
I (talk / talks) slowly.

6 We (live / lives) in Seoul.
Lisa (live / lives) in London.

7 My brother (learn / learns) English.
My sister and I (learn / learns) Spanish.

일반동사의 3인칭 단수형 만들기

일반동사를 3인칭 단수형으로 만들 때는 다음과 같은 규칙이 있어요.

대부분의 일반동사 -s			
like	–	likes	좋아하다
eat	–	eats	먹다
run	–	runs	달리다
walk	–	walks	걷다
dance	–	dances	춤추다

「자음+y」로 끝나는 동사 y → -ies			
cry	–	cries	울다
fly	–	flies	날다
study	–	studies	공부하다

-sh, -ch, -s, -x, -o로 끝나는 동사 -es			
wash	–	washes	씻다
watch	–	watches	보다
pass	–	passes	지나가다
fix	–	fixes	고치다
go	–	goes	가다
do	–	does	하다

불규칙			
have	–	has	가지다

조심해요!

「모음+y」로 끝나는 동사는 -s만 붙여요.

play – plays   buy – buys   enjoy – enjoys

Check Up 1 일반동사의 3인칭 단수형 고르기

괄호 안에서 알맞은 것을 고르세요.

1 He (goes / gos) jogging every morning.

2 She (likes / like) chocolate ice cream.

3 Lisa (studys / studies) Korean every evening.

4 The house (haves / has) three rooms.

5 Dad (washs / washes) his hair in the morning.

Check Up 2 일반동사의 3인칭 단수형 쓰기

Answers p.12

주어진 일반동사의 3인칭 단수형을 쓰세요.

구분	번호	동사원형	3인칭 단수형	번호	동사원형	3인칭 단수형
-s	1	like 좋아하다	likes	2	walk 걷다	
	3	drink 마시다		4	read 읽다	
	5	come 오다		6	clean 청소하다	
-es	7	wash 씻다		8	finish 끝내다	
	9	watch 보다		10	teach 가르치다	
	11	pass 지나가다		12	fix 고치다	
	13	go 가다		14	do 하다	
-ies	15	cry 울다		16	fly 날다	
	17	try 시도하다		18	study 공부하다	
예외	19	have 가지다		20	play 놀다	

TRAINING 1 문장 비교하기

주어진 일반동사를 빈칸에 알맞은 형태로 써서 문장을 완성하세요.

1	drink	I ___drink___ milk every morning. 나는 매일 아침 우유를 마신다. He ___drinks___ coffee every morning. 그는 매일 아침 커피를 마신다.
2	love	We __________ action movies. 우리는 액션 영화를 매우 좋아한다. She __________ funny movies. 그녀는 웃기는 영화를 매우 좋아한다.
3	wash	Dad __________ his car every Sunday. 아빠는 차를 일요일마다 세차하신다. They __________ their dog every week. 그들은 그들의 개를 매주 목욕시킨다.
4	go	I __________ to school by bus. 나는 버스를 타고 학교에 간다. John __________ to school by subway. John은 지하철을 타고 학교에 간다.
5	have	You __________ two sisters. 너는 여자 형제가 두 명 있다. He __________ one brother. 그는 남자 형제가 한 명 있다.
6	study	Jenny __________ science. Jenny는 과학을 공부한다. Amy and Paul __________ history. Amy와 Paul은 역사를 공부한다.
7	need	The girls __________ a soccer ball. 그 소녀들은 축구공이 필요하다. The boy __________ a new cap. 그 소년은 새 모자가 필요하다.

TRAINING 2 사진 보고 문장 완성하기

Answers p.12

사진을 보고 보기 에서 알맞은 말을 골라 문장을 완성하세요. (필요한 경우 단어의 형태를 바꿀 것)

보기	~~read~~	sleep	swim	play	go	study

1

He reads books every day. (He)

2

_______ _______ to school by bus. (We)

3

_______ _______ very well. (She)

4

_______ _______ basketball every Sunday. (They)

5

_______ _______ science. (Kevin)

6

_______ _______ in trees. (Koalas)

TRAINING 3 틀린 문장 고쳐 쓰기

밑줄 친 부분이 맞으면 O, 틀리면 X 표를 한 후 틀린 부분을 바르게 고쳐 쓰세요.

1 He sing beautiful songs. X → sings

2 I likes hiphop music. →

3 She do her homework before dinner. →

4 Jina wake up at 7. →

5 Sam and Amy loves their dogs. →

6 Kate studys Chinese. →

7 Mr. Jones drives a nice car. →

8 My mom finishes work at 6. →

WORD BANK hiphop music 힙합 음악 homework 숙제 wake up 잠에서 깨다 Chinese 중국어

Answers p.12

주어진 단어를 이용하여 우리말에 맞게 영작하세요.

1 그녀는 6시에 저녁을 **먹는다.** (dinner, have, at 6)

She	has	dinner	at 6.
그녀는	먹는다	저녁을	6시에

2 그는 동물들을 **좋아한다.** (animals, like)

그는	좋아한다	동물들을

3 나는 저녁에 숙제를 **한다.** (my homework, in the evening, do)

나는	한다	숙제를	저녁에

4 그녀는 학교에서 음악을 **가르친다.** (music, teach, at school)

그녀는	가르친다	음악을	학교에서

5 그는 컴퓨터를 **원한다.** (a computer, want)

그는	원한다	컴퓨터를

6 Ted는 서울에 **산다.** (in Seoul, live)

Ted는	산다	서울에

7 우리는 매일 축구를 **한다.** (soccer, every day, play)

우리는	한다	축구를	매일

Answers p.12

A 직업 설명하기

주어진 단어를 알맞은 형태로 써서 문장을 완성하세요.

1  2  3 

1 My aunt is an animal doctor. She ___loves___ animals. (love)

2 My parents are cooks. They ________ delicious food. (make)

3 My uncle is a police officer. He ________ people. (help)

B 일과 설명하기

표를 보고 내용에 맞게 Lucy의 일과를 완성하세요.

Lucy's Daily Schedule	
In the morning	go to school
In the afternoon	watch TV
	do her homework
In the evening	wash the dishes

1 In the morning, Lucy ___goes to school___.

2 In the afternoon, she ________________.

She ________________.

3 In the evening, she helps her dad.

She ________________.

U N I T

10

일반동사 현재형 2

Point 1 일반동사의 부정문

Point 2 일반동사의 의문문

• 일반동사의 부정문과 의문문에는 반드시 do나 does를 사용해야 해요.

They don't watch TV. 〈부정문〉
그들은 TV를 보지 않는다.

Do they watch TV? 〈의문문〉
그들은 TV를 보니?

1 일반동사의 부정문

1 일반동사의 부정문은 「주어+do/does not+동사원형 ~.」의 형태이며, '~하지 않다'라는 의미예요.

I **like** milk.	나는 우유를 좋아한다.	〈긍정문〉
I do not **like** milk.	나는 우유를 **좋아하지 않는다.**	〈부정문〉

2 일반동사의 부정문은 주어의 인칭에 따라 다음과 같이 써요. do not과 does not은 각각 don't와 doesn't로 줄여 쓸 수 있어요.

I You We They	do not (= don't)	like	winter.
He She It	does not (= doesn't)		

조심해요! 일반동사의 부정문에서 doesn't 뒤에 오는 동사에 -s를 붙이지 않도록 주의하세요.
She doesn't wants a dress. (X) She doesn't want a dress. (O)

괄호 안에서 알맞은 것을 고르세요.

1 I (do not / does not) have a brother.

2 She (do not / does not) like melons.

3 He (don't / doesn't) play the guitar.

4 We (don't / doesn't) have a pencil.

5 My brother doesn't (read / reads) books.

Check Up 2 일반동사의 부정문 완성하기

Answers p.13

다음 문장을 예시와 같이 부정문으로 바꿀 때 두 가지 형태로 바꿔 쓰세요.

1 I dance well.
→ I ___do___ ___not___ ___dance___ well.
→ I ___don't___ ___dance___ well.

2 She drinks coffee.
→ She ______ ______ ______ coffee.
→ She ______ ______ coffee.

3 He likes tomatoes.
→ He ______ ______ ______ tomatoes.
→ He ______ ______ tomatoes.

4 We watch TV.
→ We ______ ______ ______ TV.
→ We ______ ______ TV.

5 He needs a map.
→ He ______ ______ ______ a map.
→ He ______ ______ a map.

6 Amy rides her bike.
→ Amy ______ ______ ______ her bike.
→ Amy ______ ______ her bike.

7 Sam has an eraser.
→ Sam ______ ______ ______ an eraser.
→ Sam ______ ______ an eraser.

8 John and Ted play soccer.
→ John and Ted ______ ______ ______ soccer.
→ John and Ted ______ ______ soccer.

일반동사의 의문문

1 일반동사의 의문문은 「Do/Does+주어+동사원형 ~?」의 형태이며, '~하니?'라는 의미예요.
이때 주어가 3인칭 단수이면 Does를 써요.

They **like** music.	그들은 음악을 좋아한다.	〈평서문〉
Do they like music?	그들은 음악을 좋아하니?	〈의문문〉

Do	I you we they	like	music?
Does	he she it		

2 일반동사의 의문문에 대한 대답은 다음과 같아요.

긍정의 대답	Yes, 주어+do/does.	**A** Do you sing well? 너는 노래를 잘하니? **B** Yes, I do. 응, 그래. / No, I don't. / 아니, 그렇지 않아.
부정의 대답	No, 주어+don't/doesn't.	

조심해요! 주어가 3인칭 단수인 일반동사의 의문문에서 주어 뒤에 오는 동사는 반드시 원형으로 써야 해요.
Does he likes coffee? (X) Does he like coffee? (O)

Check Up 1 일반동사의 의문문과 대답 고르기

괄호 안에서 알맞은 것을 고르세요.

1 **A** (Do / Does) you speak English? **B** Yes, I (do / does).

2 **A** (Do / Does) he like ice cream? **B** Yes, he (do / does).

3 **A** (Do / Does) they want water? **B** No, they (don't / doesn't).

4 **A** (Do / Does) Lisa have a bike? **B** Yes, she (do / does).

Check Up 2 일반동사의 의문문 완성하기

Answers p.13

다음 문장을 의문문으로 바꿀 때 빈칸에 알맞은 말을 쓰세요.

1 You swim well. → Do you swim well?

2 She likes roses. → ________ ________ ________ roses?

3 He works here. → ________ ________ ________ here?

4 They do their best. → ________ ________ ________ their best?

5 Ms. Davis drives a car. → ________ Ms. Davis ________ a car?

6 Kevin plays the piano. → ________ Kevin ________ the piano?

7 She fixes phones. → ________ ________ ________ phones?

8 He lives in Korea. → ________ ________ ________ in Korea?

9 We have a test today. → ________ ________ ________ a test today?

10 Paul and Lisa study hard. → ________ Paul and Lisa ________ hard?

TRAINING 1 사진 보고 문장 완성하기

사진을 보고 보기 에서 알맞은 말을 골라 문장을 완성하세요.

보기	~~have~~	clean	ride	study	swim	play

1

They ____don't____ ____have____ umbrellas.

They have raincoats.

2

She ____________ ____________ a horse.

She rides a bike.

3

He ____________ ____________ basketball.

He plays soccer.

4

A ____________ Mark ____________ math?

B No, he ____________.

5

A ____________ dolphins ____________ well?

B ____________, they ____________.

6

A ____________ your sister ____________ her room?

B ____________, she ____________.

Answers p.13

밑줄 친 부분이 맞으면 O, 틀리면 X 표를 한 후 틀린 부분을 바르게 고쳐 쓰세요.

1 Sam don't like sports. [X] → doesn't

2 My mom and my sister doesn't eat fast food. [ ] → [ ]

3 Do your brother go to school? [ ] → [ ]

4 Does Mr. White teaches science? [ ] → [ ]

5 Do we have some cheese? [ ] → [ ]

6 Does John and Tom play soccer every day? [ ] → [ ]

7 Ms. Smith doesn't works here. [ ] → [ ]

8 Tom and I doesn't play computer games. [ ] → [ ]

sport 스포츠, 운동 fast food 패스트푸드 here 여기에서

다음 문장을 지시대로 바꿔 쓰세요. (부정문은 줄임말로 쓸 것)

1 I watch TV after dinner.
부정문 → I don't watch TV after dinner.

2 They walk to school.
부정문 → ______________________

3 She likes hamburgers.
부정문 → ______________________

4 He drinks soda.
부정문 → ______________________

5 Amy swims well.
의문문 → ______________________

6 We have homework.
의문문 → ______________________

7 Paul and Lisa study together.
의문문 → ______________________

WORD BANK hamburger 햄버거 soda 탄산음료 together 함께, 같이

Answers p.13

주어진 단어를 이용하여 우리말에 맞게 영작하세요. (부정문은 줄임말로 쓸 것)

1 그녀는 남자 형제가 **없다.** (a brother, have)

She	doesn't have	a brother.
그녀는	가지고 있지 않다	남자 형제를

2 그는 양파를 **먹지 않는다.** (onions, eat)

그는	먹지 않는다	양파를

3 나는 공포 영화를 **보지 않는다.** (horror movies, watch)

나는	보지 않는다	공포 영화를

4 그녀는 런던에 **살지 않는다.** (in London, live)

그녀는	살지 않는다	런던에

5 그들은 음악을 **좋아하니?** (music, like)

	그들은	좋아하니	음악을

6 그는 자전거를 **타니?** (a bike, ride)

	그는	타니	자전거를

7 Emily는 배드민턴을 **치니?** (badminton, play)

	Emily는	치니	배드민턴을

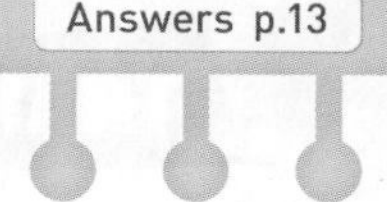

A 사진에 맞게 대화 완성하기

사진을 보고 주어진 단어를 이용하여 대화를 완성하세요.

1
A ___Does___ Mary ___ride___ her bike after school? (ride)
B Yes, ___she___ ___does___.

2
A ______ Bill ______ breakfast every day? (have)
B Yes, ______ ______.

3
A ______ Sally and Max ______ badminton every day? (play)
B No, ______ ______.

B 다른 점 말하기

표를 보고 내용에 맞게 **Jane과 Tony에 관한 글을 완성하세요.** (부정문은 줄임말로 쓸 것)

	Jane	Tony
like math	O	X
get up early	X	O
watch TV every day	X	O

Jane and Tony are my friends. They are very different.
Jane likes math. Tony ① ___doesn't like___ math.
Jane ② ______ early in the morning.
Tony gets up early in the morning. Tony watches TV every day.
Jane ③ ______ TV every day.

UNIT

11

현재진행형 1

Point 1 현재진행형의 형태와 의미

Point 2 현재시제와 현재진행형

- '지금 현재 하고 있는 일'을 나타낼 때 현재진행형을 써요.

〈늘 하는 일〉

I study math every day.
나는 매일 수학을 **공부한다.**

〈지금 현재 하고 있는 일〉

I am studying math now.
나는 지금 수학을 **공부하고 있다.**

현재진행형의 형태와 의미

1 현재진행형은 「be동사+동사원형-ing」의 형태이며, '~하고 있다, ~하는 중이다'라는 의미예요.

I am watching TV now. 나는 지금 TV를 보고 있다.

2 「동사원형-ing」를 만들 때는 다음과 같은 규칙이 있어요.

대부분의 동사 -ing			
do	하다	–	doing
eat	먹다	–	eating
go	가다	–	going
play	놀다	–	playing
study	공부하다	–	studying

-e로 끝나는 동사 e를 빼고 -ing			
come	오다	–	coming
make	만들다	–	making
dance	춤추다	–	dancing
write	쓰다	–	writing
ride	타다	–	riding

「단모음+단자음」으로 끝나는 동사 자음 추가+-ing			
run	뛰다	–	running
cut	자르다	–	cutting
sit	앉다	–	sitting
swim	수영하다	–	swimming

-ie로 끝나는 동사 ie → -ying			
die	죽다	–	dying
lie	누워 있다	–	lying
tie	묶다	–	tying

Check Up 1 「동사원형-ing」 형태 고르기

주어진 동사의 「동사원형-ing」 형태로 알맞은 것을 고르세요.

1 go → (going / goying)

2 eat → (eating / eatting)

3 write → (writing / writeing)

4 study → (studying / studing)

5 cut → (cuting / cutting)

6 swim → (swiming / swimming)

7 come → (comming / coming)

8 lie → (liing / lying)

Check Up 2 「동사원형-ing」 형태 쓰기

Answers p.14

주어진 동사의 「동사원형-ing」 형태를 쓰세요.

-ing

No.	동사	-ing	No.	동사	-ing
1	do 하다	doing	2	eat 먹다	
3	read 읽다		4	play 놀다	
5	study 공부하다		6	listen 듣다	

e 빼고 -ing

No.	동사	-ing	No.	동사	-ing
7	write 쓰다		8	bake 굽다	
9	use 사용하다		10	dance 춤추다	
11	ride 타다		12	move 옮기다	

자음 +-ing

No.	동사	-ing	No.	동사	-ing
13	cut 자르다		14	run 뛰다	
15	sit 앉다		16	swim 수영하다	
17	jog 조깅하다		18	chat 이야기를 나누다	

-ying

No.	동사	-ing	No.	동사	-ing
19	lie 누워 있다		20	die 죽다	

현재시제와 현재진행형

1 현재시제와 현재진행형의 형태 차이

현재시제는 동사의 현재형으로, 현재진행형은 「be동사+동사원형-ing」의 형태로 나타내요.

Tom watches TV every day. Tom은 매일 TV를 본다. 〈현재시제〉
Tom is watching TV now. Tom은 지금 TV를 보고 있다. 〈현재진행형〉

2 현재시제와 현재진행형의 의미 차이

현재시제는 주로 현재의 습관이나 반복적으로 하는 일을 나타내고, 현재진행형은 지금 하고 있는 일을 나타내요.

She plays basketball **every day.** 그녀는 매일 농구를 한다. 〈습관이나 반복적인 일〉
She is playing basketball **now.** 그녀는 지금 농구를 하고 있다. 〈지금 하고 있는 일〉

진행형으로 쓸 수 없는 동사
감정이나 생각, 소유를 나타내는 동사는 진행형으로 쓸 수 없어요.

I am liking chicken. (X) I like chicken. (O)
He is having two books. (X) He has two books. (O)

Check Up 1 현재시제와 현재진행형 문장 구분하기

다음 문장이 현재시제인지 현재진행형인지 구분하여 해당하는 것에 체크(✓)하세요.

		현재시제	현재진행형
1	I am reading a book.	☐	☑
2	They are watching a baseball game.	☐	☐
3	She gets up early every morning.	☐	☐
4	My mom has breakfast at 7.	☐	☐
5	My father is cleaning his car now.	☐	☐
6	They are going to the park now.	☐	☐

Check Up 2 현재시제와 현재진행형 고르기

Answers p.14

괄호 안에서 알맞은 것을 고르세요.

1 I (am washing / washing) my hands. 나는 손을 씻고 있다.

2 A plane (is flying / are flying) in the sky. 비행기 한 대가 하늘을 날고 있다.

3 Ted is (sleeps / sleeping) on the sofa now. Ted는 지금 소파에서 잠을 자고 있다.

4 They (play / playing) badminton every day. 그들은 매일 배드민턴을 친다.

5 Lisa (paints / painting) pictures every Tuesday. Lisa는 화요일마다 그림을 그린다.

Check Up 3 현재시제와 현재진행형의 의미 고르기

다음 문장을 바르게 해석한 것을 고르세요.

1 We are dancing on the stage.
ⓐ 우리는 무대에서 춤을 춘다.
ⓑ 우리는 무대에서 춤을 추고 있다.

2 I am studying in the library.
ⓐ 나는 도서관에서 공부한다.
ⓑ 나는 도서관에서 공부하고 있다.

3 They write stories.
ⓐ 그들은 이야기를 쓴다.
ⓑ 그들은 이야기를 쓰고 있다.

4 She is running in the park.
ⓐ 그녀는 공원에서 뛴다.
ⓑ 그녀는 공원에서 뛰고 있다.

5 He goes to school.
ⓐ 그는 학교에 간다.
ⓑ 그는 학교에 가고 있다.

TRAINING 1 문장 비교하기

우리말에 맞게 현재진행형을 써서 문장을 완성하세요.

1 I clean my room every day. 나는 매일 내 방을 청소한다.

I ___am___ ___cleaning___ my room now. 나는 지금 내 방을 청소하고 있다.

2 We watch TV in the evening. 우리는 저녁에 TV를 본다.

We ________ ________ TV now. 우리는 지금 TV를 보고 있다.

3 He takes a shower in the morning. 그는 아침에 샤워를 한다.

He ________ ________ a shower right now. 그는 바로 지금 샤워를 하고 있다.

4 They go shopping on Saturdays. 그들은 토요일마다 쇼핑하러 간다.

They ________ ________ shopping now. 그들은 지금 쇼핑하러 가고 있다.

5 I play badminton after school. 나는 방과 후에 배드민턴을 친다.

I ________ ________ badminton now. 나는 지금 배드민턴을 치고 있다.

6 Tom studies math every day. Tom은 매일 수학을 공부한다.

Tom ________ ________ math now. Tom은 지금 수학을 공부하고 있다.

7 Emily walks her dog before dinner. Emily는 저녁 식사 전에 그녀의 개를 산책시킨다.

Emily ________ ________ her dog now. Emily는 지금 그녀의 개를 산책시키고 있다.

TRAINING 2 사진 보고 문장 완성하기

Answers p.14

사진을 보고 보기 에서 알맞은 말을 골라 현재진행형으로 문장을 완성하세요.

보기	~~ride~~	play	sit	draw	take	fly

1

A boy ____is____ ____riding____ his bike.

2

A girl __________ __________ a kite.

3

They __________ __________ baseball.

4

A girl and a boy __________ __________ pictures.

5

A woman __________ __________ a picture of flowers.

6

Two men __________ __________ on the grass.

WORD BANK fly 날리다 kite 연 grass 풀, 잔디

TRAINING 3 틀린 문장 고쳐 쓰기

밑줄 친 부분이 우리말에 맞으면 O, 틀리면 X 표를 한 후 틀린 부분을 바르게 고쳐 쓰세요.

1 The boys <u>is</u> doing their homework now.
그 소년들은 지금 숙제를 하고 있다.
[X] → [are]

2 They are <u>runing</u> to school.
그들은 학교에 뛰어가고 있다.
[ ] → [ ]

3 Jina is <u>playing</u> the violin in the living room.
Jina는 거실에서 바이올린을 켜고 있다.
[ ] → [ ]

4 The men are <u>watch</u> a movie now.
그 남자들은 지금 영화를 보고 있다.
[ ] → [ ]

5 The girls are <u>swiming</u> in the river.
그 소녀들은 강에서 수영하고 있다.
[ ] → [ ]

6 My baby brother is <u>criing</u>. He is hungry.
내 남동생은 울고 있다. 그는 배고프다.
[ ] → [ ]

7 Mom and Dad <u>is</u> cleaning the house now.
엄마와 아빠는 지금 집을 청소하고 계신다.
[ ] → [ ]

8 He <u>washing</u> the dishes now.
그는 지금 설거지를 하고 있다.
[ ] → [ ]

Answers p.14

주어진 단어를 이용하여 우리말에 맞게 영작하세요.

1 John은 지금 영어를 **공부하고 있다.** (English, study, now)

John	is studying	English	now.
John은	공부하고 있다	영어를	지금

2 그 소년들은 호수에서 **수영을 하고 있다.** (swim, The boys, in the lake)

그 소년들은	수영을 하고 있다	호수에서

3 한 남자가 연을 **날리고 있다.** (A man, a kite, fly)

한 남자가	날리고 있다	연을

4 우리는 지금 빵을 **굽고 있다.** (now, bread, bake)

우리는	굽고 있다	빵을	지금

5 그 고양이는 소파에서 **자고 있다.** (sleep, The cat, on the sofa)

그 고양이는	자고 있다	소파에서

6 아빠는 내 자전거를 **고치고 계신다.** (Dad, my bike, fix)

아빠는	고치고 계신다	내 자전거를

7 그들은 영화를 **보고 있다.** (a movie, watch)

그들은	보고 있다	영화를

서술형 WRITING

Answers p.14

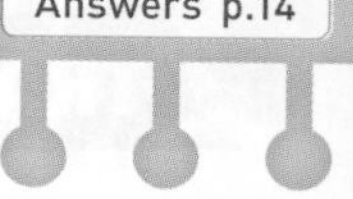

A 알맞은 동사의 형태 쓰기

사진을 보고 주어진 단어를 알맞은 형태로 써서 문장을 완성하세요.

1

They ___are___ ___swimming___ now.

They ________ every Monday. (swim)

2

My brother ________ ________ me now. He always ________ me. (help)

B 교실 묘사하기

다음은 교실에서 일어나는 상황입니다. 그림을 보고 주어진 단어를 알맞은 형태로 써서 문장을 완성하세요.

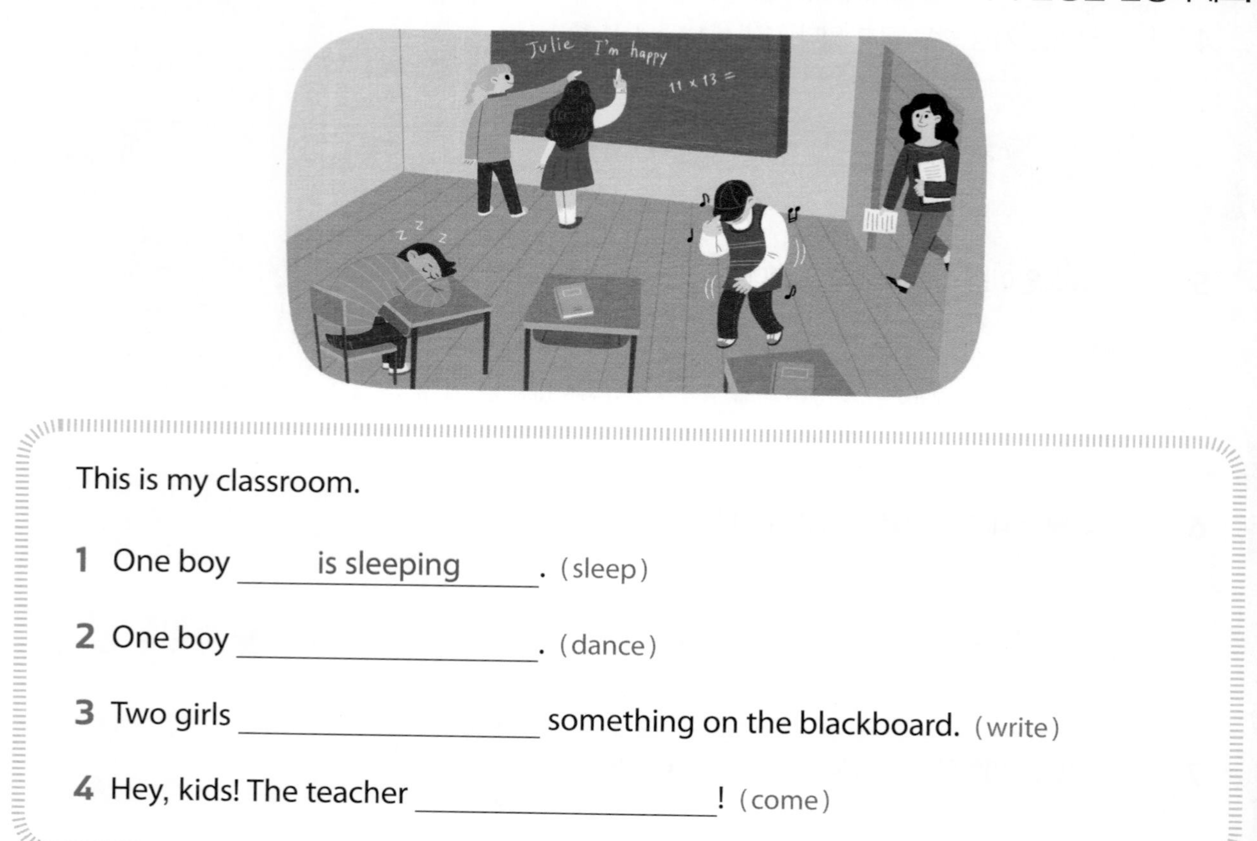

This is my classroom.

1 One boy ___is sleeping___. (sleep)

2 One boy ________. (dance)

3 Two girls ________ something on the blackboard. (write)

4 Hey, kids! The teacher ________! (come)

UNIT

12

현재진행형 2

Point 1 현재진행형의 부정문

Point 2 현재진행형의 의문문

• 현재진행형의 부정문과 의문문을 만드는 방법은 be동사의 부정문과 의문문을 만드는 방법과 같아요.

She is not playing the guitar now. 〈부정문〉
그녀는 지금 기타를 연주하고 있지 않다.

Is she playing the guitar now? 〈의문문〉
그녀는 지금 기타를 연주하고 있니?

현재진행형의 부정문

현재진행형의 부정문은 be동사 뒤에 not을 써서 나타내며, '~하고 있지 않다'라는 의미예요.

I am studying.	나는 공부하고 있다.	〈긍정문〉
I am not **studying.**	나는 공부하고 **있지 않다.**	〈부정문〉

I	am not	sleeping.
He She It	is not (= isn't)	
We You They	are not (= aren't)	

더 알아봐요!

인칭대명사 주어와 be동사의 부정문은 두 가지 형태로 줄여 쓸 수 있어요.

He isn't working. (O) He's not working. (O)

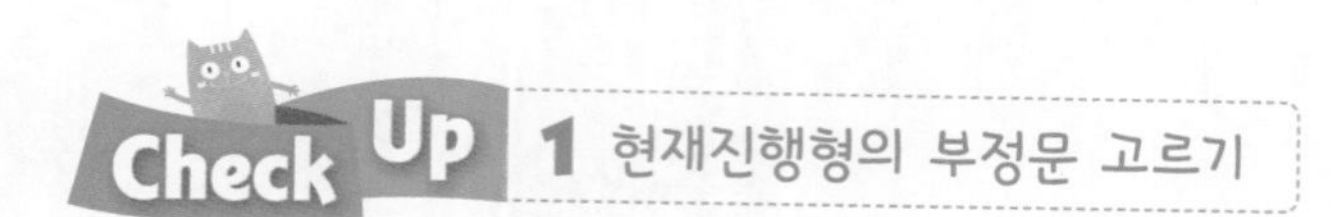

괄호 안에서 알맞은 것을 고르세요.

1 I (am not / not am) studying math.

2 She (is not / not is) reading a book.

3 We (are not / not are) watching a movie.

4 You (not are / aren't) playing a game.

5 It (not is / isn't) raining now.

6 They (aren't / not are) dancing.

Check Up 2 현재진행형의 부정문 완성하기

Answers p.15

다음 문장을 부정문으로 바꿀 때 빈칸에 알맞은 말을 쓰세요.

1 She is eating tomatoes.

→ She ___is___ ___not___ ___eating___ tomatoes.

2 I am brushing my teeth.

→ I ______ ______ ______ my teeth.

3 The baby is sleeping.

→ The baby ______ ______ ______.

4 They are painting a wall.

→ They ______ ______ ______ a wall.

5 We are taking pictures.

→ We ______ ______ ______ pictures.

6 He is using the computer.

→ He ______ ______ ______ the computer.

7 Emily is playing in the backyard.

→ Emily ______ ______ ______ in the backyard.

8 It is snowing now.

→ It ______ ______ ______ now.

2 현재진행형의 의문문

1 현재진행형의 의문문은 be동사를 주어 앞에 써서 나타내며, '~하고 있는 중이니?'라는 의미예요.

They **are playing** soccer. 그들은 축구를 하고 있다. 〈평서문〉
Are they playing soccer? 그들은 축구를 하고 있니? 〈의문문〉

Am	I	eating cheese?
Is	he she it	
Are	we you they	

2 현재진행형의 의문문에 대한 대답은 다음과 같아요.

긍정의 대답	Yes, 주어+be동사.	A Is she watching TV? 그녀는 TV를 보고 있니? B Yes, she is. 응, 그래. / No, she isn't. / 아니, 그렇지 않아.
부정의 대답	No, 주어+be동사+not.	

조심해요! 의문문의 주어가 명사인 경우 대답할 때는 인칭대명사로 말해야 해요.
Is Tom singing now? – Yes, he is. / No, he isn't.

Check Up 1 현재진행형의 의문문 고르기

괄호 안에서 알맞은 것을 고르세요.

1 (Are / Is) she eating pizza?

2 (Is / Are) they swimming?

3 (Are / Is) you sending an email?

4 (Is / Are) he sleeping now?

5 Is the dog (runs / running)?

6 Are the girls (cry / crying)?

7 Is Kate (dances / dancing)?

8 Are they (work / working)?

Check Up 2 현재진행형의 의문문 완성하기

Answers p.15

다음 문장을 의문문으로 바꿀 때 빈칸에 알맞은 말을 쓰세요.

1 She is swimming. → Is she swimming ?

2 Mom is reading a book. → ________ Mom ________ a book?

3 The man is writing a card. → ________ the man ________ a card?

4 You are going out now. → ________ you ________ out now?

5 They are singing now. → ________ they ________ now?

6 He is playing a game. → ________ he ________ a game?

Check Up 3 현재진행형의 의문문 대답 고르기

다음 의문문에 대한 대답으로 알맞은 것을 고르세요.

1 Are you drinking water?
ⓐ No, you aren't.
ⓑ No, I'm not.

2 Is Jenny cooking?
ⓐ Yes, she is.
ⓑ Yes, Jenny is.

3 Are they sitting on the sofa?
ⓐ No, they isn't.
ⓑ No, they aren't.

4 Is John helping his mom?
ⓐ Yes, John is.
ⓑ Yes, he is.

TRAINING 1 사진 보고 문장 완성하기

사진을 보고 주어진 단어를 이용하여 현재진행형으로 문장을 완성하세요.

1

The boy ___is not crying___. (cry)

He ___is smiling___. (smile)

2

She ______________. (sleep)

She ______________ her homework. (do)

3

They ______________. (swim)

They ______________ a sandcastle. (make)

4

A ________ Lucy ________? (dance)

B ________, she is.

5

A ________ the boys ________? (run)

B No, they ________.

6

A ________ the cat ________ on the floor? (play)

B Yes, it ________.

WORD BANK sandcastle 모래성 on the floor 바닥에서

TRAINING 2 틀린 문장 고쳐 쓰기

Answers p.15

밑줄 친 부분이 맞으면 O, 틀리면 X 표를 한 후 틀린 부분을 바르게 고쳐 쓰세요.

1 Does she swimming in the pool? [X] → Is

2 Are you listen to music? [ ] →

3 Does it raining outside? [ ] →

4 Sam is playing not basketball. [ ] →

5 Is the girl write a letter? [ ] →

6 We am not making sandwiches now. [ ] →

7 Is Kate doing her homework? [ ] →

8 Is Paul drinking coffee? – Yes, Paul is. [ ] →

WORD BANK pool 수영장 listen to music 음악을 듣다 outside 밖에 letter 편지

다음 문장을 지시대로 바꿔 쓰세요. (부정문은 be동사와 not을 줄여 쓸 것)

1 He is playing the piano.

부정문 → He isn't playing the piano.

의문문 → Is he playing the piano?

2 She is cooking pasta.

부정문 → ____________________

의문문 → ____________________

3 You are doing your homework now.

부정문 → ____________________

의문문 → ____________________

4 They are cleaning the living room.

부정문 → ____________________

의문문 → ____________________

5 He is writing a card now.

부정문 → ____________________

의문문 → ____________________

6 The boy is drawing a tree.

부정문 → ____________________

의문문 → ____________________

Answers p.15

주어진 단어를 이용하여 우리말에 맞게 영작하세요. (부정문은 be동사와 not을 줄여 쓸 것)

1 그는 야구를 **하고 있니?** (baseball, play)

Is	he	playing	baseball?
	그는	하고 있니	야구를

2 그 개는 지금 **자고 있지 않다.** (The dog, now, sleep)

그 개는	자고 있지 않다	지금

3 그녀는 책을 **읽고 있니?** (a book, read)

	그녀는	읽고 있니	책을

4 그는 자전거를 **타고 있지 않다.** (his bike, ride)

그는	타고 있지 않다	그의 자전거를

5 너는 지금 그 컴퓨터를 **쓰고 있니?** (the computer, use, now)

	너는	쓰고 있니	그 컴퓨터를	지금

6 우리는 TV를 **보고 있지 않다.** (TV, watch)

우리는	보고 있지 않다	TV를

7 나는 지금 수학을 **공부하고 있지 않다.** (study, now, math)

나는	공부하고 있지 않다	수학을	지금

Answers p.15

A 동작 표현하기

사진을 보고 주어진 단어를 이용하여 현재진행형 문장을 완성하세요.

1

She ______________ tomatoes. (eat)

She is eating oranges.

2

They ______________ computers. (use)

They are using smartphones.

B 주방 상황 묻고 답하기

다음은 **Amy**의 가족들이 주방에서 하고 있는 일을 묘사한 대화입니다. 그림을 보고 주어진 단어를 이용하여 대화를 완성하세요.

1 A ___Is___ Amy's mom ___washing___ an onion? (wash)

B ___No___, she isn't. She's cutting an onion.

2 A ______________ Amy's dad ______________ a sandwich? (make)

B No, he ______________. He's cooking spaghetti.

3 A ______________ Amy ______________ juice? (drink)

B Yes, she is.

REVIEW TEST 3

Units 9-12

Answers p.16

1 동사의 3인칭 단수형이 잘못된 것을 고르세요.

① eat – eats
② go – goes
③ cry – cries
④ enjoy – enjoys
⑤ finish – finishs

2 빈칸에 들어갈 말로 알맞은 것을 고르세요.

________ has a new smartphone.

① I
② You
③ My sister
④ They
⑤ John and Kate

3 밑줄 친 부분이 잘못된 것을 고르세요.

① We watch TV every night.
② Ted and Lisa walks to school.
③ Mr. White teaches science.
④ She drinks coffee every morning.
⑤ Dad reads a newspaper in the morning.

4 빈칸에 들어갈 말이 바르게 짝 지어진 것을 고르세요.

• ___ⓐ___ she like action movies?
• The students ___ⓑ___ not learn Chinese.

	ⓐ	ⓑ		ⓐ	ⓑ
①	Is	– are	②	Do	– do
③	Do	– does	④	Does	– do
⑤	Does	– does			

도전문제

5 올바른 문장을 고르세요.

① Do they live in London?
② Do the class starts at 9?
③ Lisa don't eat tomatoes.
④ Does Kevin plays soccer well?
⑤ We doesn't go to school on weekends.

6 동사의 -ing형이 잘못된 것을 고르세요.

① do – doing
② sit – sitting
③ write – writing
④ run – running
⑤ study – studing

7 대화의 빈칸에 들어갈 말이 바르게 짝 지어진 것을 고르세요.

A Is Amy ________ a book now?
B Yes, she ________.

① read – is ② reads – isn't
③ reads – does ④ reading – is
⑤ reading – isn't

8 밑줄 친 부분이 잘못된 것을 고르세요.

① Is Kate playing the piano now?
② Sam and John isn't studying now.
③ Are you doing your homework?
④ Jina isn't cleaning her room now.
⑤ Tom and I aren't watching TV now.

서술형

9 우리말에 맞게 주어진 동사를 알맞은 형태로 써서 문장을 완성하세요.

Lisa는 하루에 한 시간씩 영어를 공부한다. (study)

→ Lisa ________ English for one hour a day.

10 대화의 빈칸에 알맞은 말을 쓰세요.

A ________ Paul speak Korean?
B No, he ________.

11 우리말에 맞게 문장에서 틀린 부분을 찾아 바르게 고쳐 쓰세요.

Emily는 손을 자주 씻지 않는다.
Emily doesn't washes her hands often.

________ → ________

12 주어진 문장을 지시대로 바꿔 쓰세요.

Ted is watching a movie now.

(1) 부정문으로
→ ________
(2) 의문문으로
→ ________

UNIT

13

형용사

- 형용사는 명사의 상태나 성질을 나타내는 말이에요. 명사 앞에 형용사를 쓰면 명사를 더 구체적으로 설명할 수 있어요.

a cat 고양이	a black cat 까만 고양이	a fat cat 뚱뚱한 고양이

형용사의 종류

형용사는 명사의 성질이나 상태, 모양 등을 나타내는 말로 다음과 같은 것들이 있어요.

감정, 성질	
sad	슬픈
kind	친절한
nice	다정한
angry	화난
lazy	게으른
shy	수줍어하는
polite	예의 바른

상태	
young	어린
old	오래된, 나이 든
slow	느린
fast	빠른
clean	깨끗한
dirty	더러운
hungry	배고픈

외모, 모양	
cute	귀여운
pretty	예쁜
long	긴
short	키가 작은, 짧은
big	큰
small	작은
thin	마른, 얇은

색깔	
white	하얀
black	검은
red	빨간
blue	파란
yellow	노란
green	초록의
pink	분홍색의

날씨	
sunny	화창한, 맑은
cloudy	흐린
rainy	비 오는
snowy	눈 오는
warm	따뜻한
hot	더운
cold	추운

맛	
sweet	단, 달콤한
salty	짠, 짭짤한
hot	매운
sour	신, 시큼한
bitter	쓴
fresh	신선한
delicious	맛있는

주어진 단어에서 형용사를 모두 골라 동그라미 하세요.

book	big	old	room
read	blue	sweet	hungry
cloudy	friend	like	hot
long	short	sad	dog

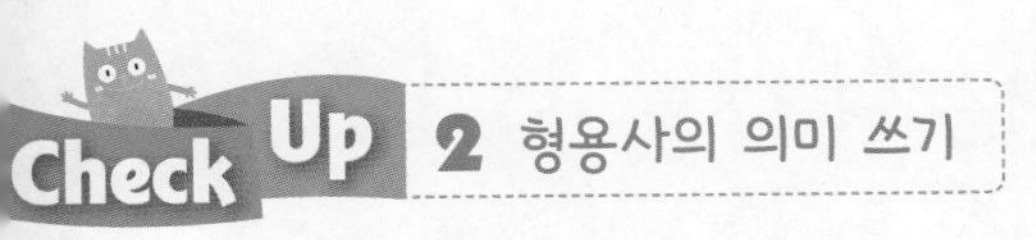

Check Up 2 형용사의 의미 쓰기

Answers p.17

주어진 형용사의 우리말 뜻을 쓰세요.

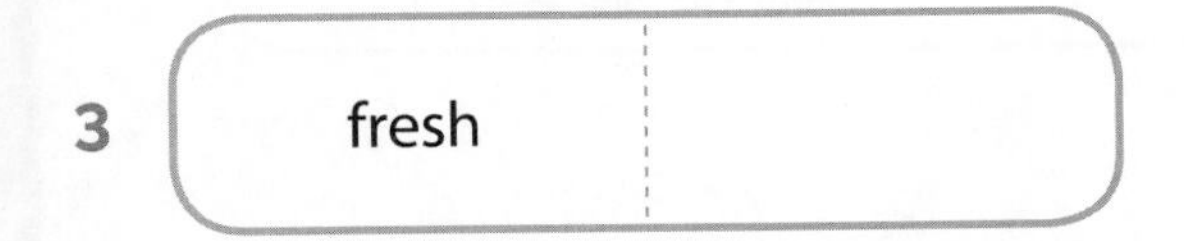

1	kind	친절한	2	slow	
3	fresh		4	young	
5	rainy		6	fast	
7	warm		8	small	
9	cute		10	angry	

Check Up 3 알맞은 형용사 쓰기

우리말에 맞게 알맞은 형용사를 쓰세요.

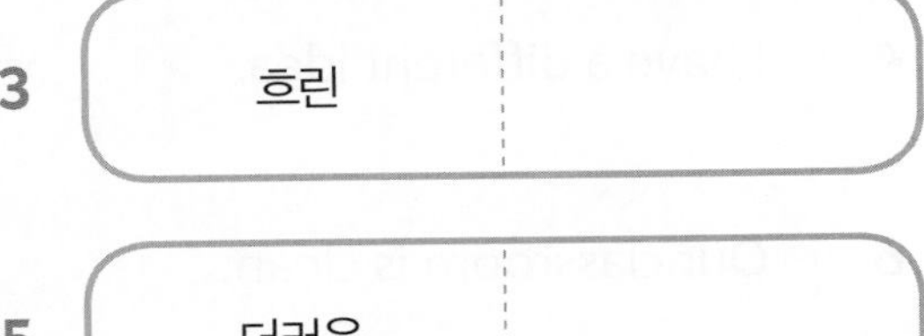

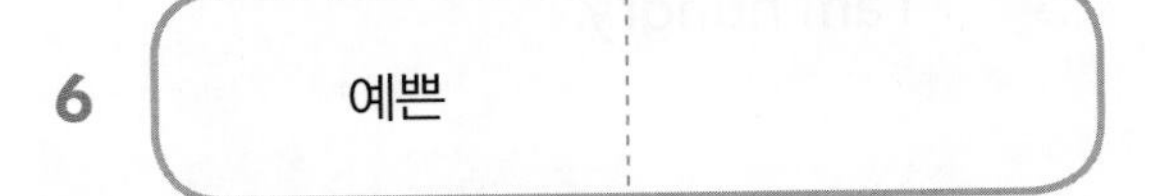

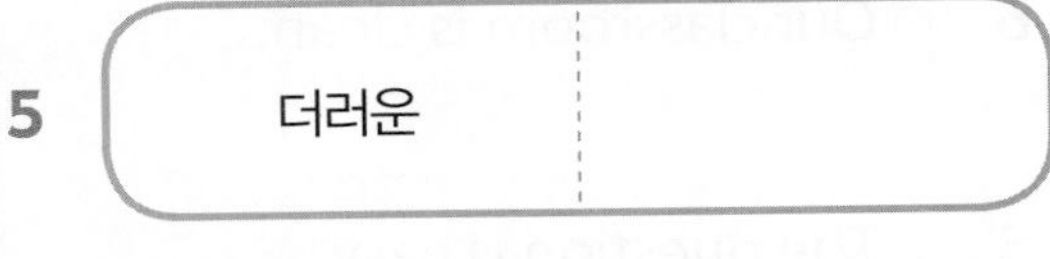

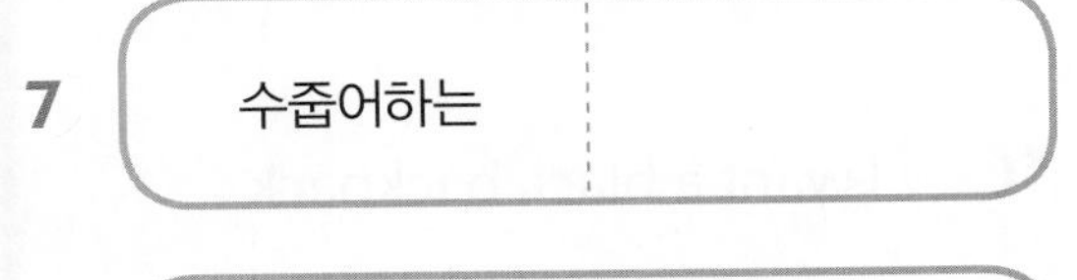

1	큰	big	2	깨끗한	
3	흐린		4	게으른	
5	더러운		6	예쁜	
7	수줍어하는		8	슬픈	
9	배고픈		10	추운	

형용사의 역할

1 형용사는 명사 앞에 쓰여서 명사를 꾸며 줘요.

형용사+명사	This is an interesting book. 이것은 **흥미로운** 책이다.
	I like small dogs. 나는 **작은** 개를 좋아한다.

2 형용사는 be동사 뒤에 쓰여서 주어를 설명해요.

주어+be동사+형용사	The candy is sweet. 그 사탕은 **달콤하다**. <The candy = sweet>
	These coats are heavy. 이 코트들은 **무겁다**. <These coats = heavy>

비교해요!

형용사를 해석하는 방법

He is a kind boy. 그는 **친절한** 소년이다. 〈명사 앞에 오면 '~한'으로 해석해요.〉

The boy is kind. 그 소년은 **친절하다**. 〈be동사 뒤에 오면 '~하다'로 해석해요.〉

Check Up 1 문장에서 형용사 찾기

다음 문장에서 형용사를 찾아 동그라미 하세요.

1 I need a (big) desk.

2 He likes loud music.

3 Emily has cute dolls.

4 I have a different idea.

5 I am hungry.

6 Our classroom is clean.

7 It's very cold today.

8 The question is easy.

9 This bike is expensive.

10 I want a black backpack.

11 Your brothers are tall.

12 Those books are interesting.

Check Up 2 형용사의 해석 비교하기

Answers p.17

다음 문장의 우리말 해석을 완성하세요.

1 These are **fresh** apples. 이것들은 ___신선한___ 사과이다.
These apples **are fresh**. 이 사과들은 ___신선하다___.

2 It is a **popular** song. 그것은 ________ 노래이다.
The song **is popular**. 그 노래는 ________.

3 This is a **sweet** cake. 이것은 ________ 케이크이다.
This cake **is sweet**. 이 케이크는 ________.

4 That is a **fast** car. 저것은 ________ 자동차이다.
That car **is fast**. 저 자동차는 ________.

5 It is an **old** camera. 그것은 ________ 카메라이다.
The camera **is old**. 그 카메라는 ________.

6 They are **honest** children. 그들은 ________ 아이들이다.
The children **are honest**. 그 아이들은 ________.

7 It is a **thick** book. 그것은 ________ 책이다.
The book **is thick**. 그 책은 ________.

8 It is a **good** idea. 그것은 ________ 생각이다.
The idea **is good**. 그 생각은 ________.

형용사의 위치

명사 앞에 형용사를 포함하여 다른 말이 여러 개 올 때 다음과 같은 순서로 써요.

1	관사+형용사+명사	a sunny day	화창한 날
		the old man	그 나이 든 남자
2	소유격+형용사+명사	my new computer	나의 새 컴퓨터
		your brown bag	너의 갈색 가방
3	지시형용사+형용사+명사	that red hat	저 빨간 모자
		these cute cats	이 귀여운 고양이들

더 알아봐요!

one, two와 같이 수를 나타내는 표현은 형용사 앞에 써요.

those two pretty girls 저 두 명의 예쁜 소녀들

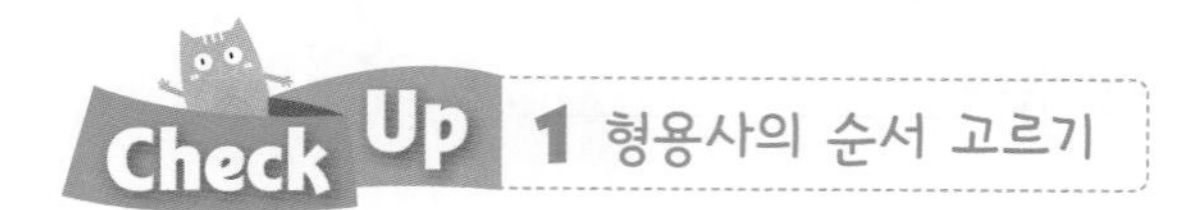

괄호 안에서 알맞은 것을 고르세요.

1 She is (a girl kind / a kind girl).

2 I want (cold a drink / a cold drink).

3 They drive (an old car / a car old).

4 This is (our new school / new our school).

5 We have (fresh apples ten / ten fresh apples).

6 (Cute their dog / Their cute dog) is five years old.

7 John is (favorite my singer / my favorite singer).

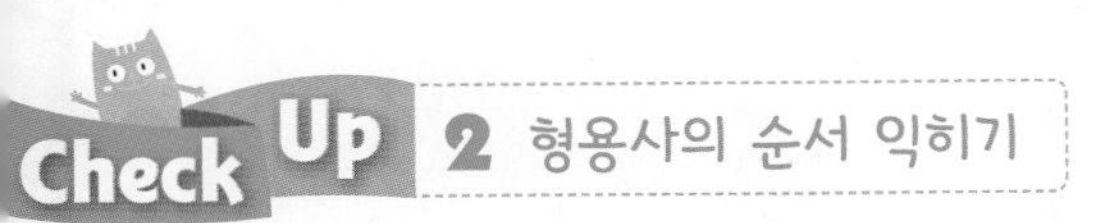

2 형용사의 순서 익히기

Answers p.17

주어진 형용사를 알맞은 위치에 넣어 우리말에 맞게 쓰세요.

1 나의 셔츠 — my shirt
나의 **하얀** 셔츠 (white) → my | white | shirt

2 산 하나 — a mountain
높은 산 하나 (high) → ______ | ______ | ______

3 저 자전거 — that bike
저 **비싼** 자전거 (expensive) → ______ | ______ | ______

4 그 바다 — the sea
그 **푸른** 바다 (blue) → ______ | ______ | ______

5 이 길들 — these roads
이 **넓은** 길들 (wide) → ______ | ______ | ______

6 너의 말들 — your words
너의 **친절한** 말들 (kind) → ______ | ______ | ______

7 그의 노래 — his song
그의 **새로운** 노래 (new) → ______ | ______ | ______

8 이 세 문제들 — these three questions
이 세 **쉬운** 문제들 (easy) → ______ | ______ | ______ | ______

우리말에 맞게 문장을 완성하세요. (1~3번은 주어진 단어를 이용할 것)

1 Amy is a girl. Amy는 소녀이다.
Amy is a ___smart___ ___girl___. (smart) Amy는 똑똑한 소녀이다.

2 She is an artist. 그녀는 화가이다.
She is a ______ ______. (famous) 그녀는 유명한 화가이다.

3 I don't need sweaters. 나는 스웨터가 필요하지 않다.
I don't need ______ ______. (warm) 나는 따뜻한 스웨터가 필요하지 않다.

4 He is an honest man. 그는 정직한 남자이다.
The man ______ ______. 그 남자는 정직하다.

5 It is an exciting story. 그것은 흥미진진한 이야기이다.
The story ______ ______. 그 이야기는 흥미진진하다.

6 These are popular sports. 이것들은 인기 있는 운동이다.
These sports ______ ______. 이 운동들은 인기 있다.

7 They are expensive shoes. 그것은 비싼 신발이다.
The shoes ______ ______. 그 신발은 비싸다.

TRAINING 2 사진 보고 문장 완성하기

Answers p.17

사진을 보고 보기 에서 알맞은 말을 골라 문장을 완성하세요.

보기	~~old~~	red	dirty	short	open	sunny

1

The car is not new.

It ___is___ ___old___.

2

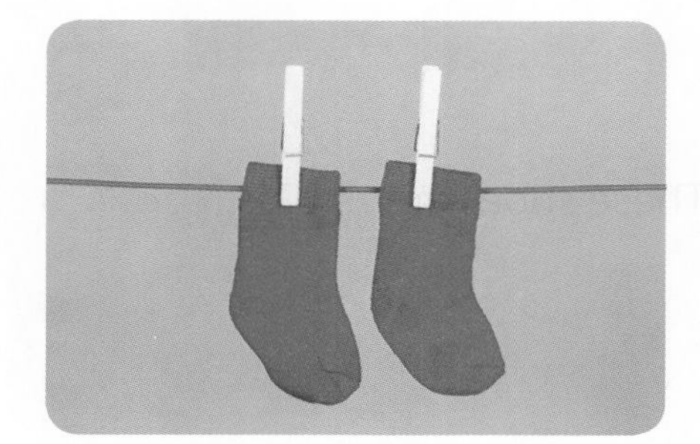

The socks are not pink.

They ______ ______.

3

His hair is not long.

It ______ ______.

4

It is not cloudy today.

It ______ ______ today.

5

My feet are not clean.

They ______ ______.

6

The windows are not closed.

They ______ ______.

WORD BANK open 열린 hair 머리카락 closed 닫힌

밑줄 친 부분이 맞으면 O, 틀리면 X 표를 한 후 틀린 부분을 바르게 고쳐 쓰세요.

1 She wants long a skirt. [X] → a long skirt

2 These shoes aren't bigs. [ ] → [ ]

3 I know old that man. [ ] → [ ]

4 We need strong two men. [ ] → [ ]

5 The house is old. [ ] → [ ]

6 Blue the bike is mine. [ ] → [ ]

7 Kate is close my friend. [ ] → [ ]

8 I love new hairstyle your. [ ] → [ ]

WORD BANK skirt 치마 strong 힘이 센 close 친한 hairstyle 머리 모양, 헤어스타일

Answers p.17

주어진 단어를 이용하여 우리말에 맞게 영작하세요.

1 나는 나의 **새** 자전거를 매우 좋아한다. (love, new, bike, my)

I	love	my / new / bike.
나는	매우 좋아한다	나의 새 자전거를

2 이것은 **유명한** 책이다. (famous, a, book)

이것은	이다	유명한 책

3 저 **큰** 가방은 내 것이다. (bag, big, mine)

저 큰 가방은	이다	내 것

4 그는 **빠른** 자동차를 원한다. (wants, a, car, fast)

그는	원한다	빠른 자동차를

5 이 방들은 **더럽다.** (rooms, dirty)

이 방들은	이다	더러운

6 그의 **새** 노래들은 **인기 있다.** (songs, new, his, popular)

그의 새 노래들은	이다	인기 있는

7 이 두 영화들은 **슬프다.** (movies, sad)

이 두 영화들은	이다	슬픈

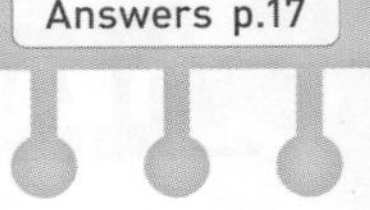

서술형 WRITING

A 배열하여 대화 완성하기

주어진 단어를 바르게 배열하여 대화를 완성하세요.

1

A ____________________ is Ann.
(my, friend, best)

B Really? She is ____________________.
(student, a, good)

2

A Look at ____________________.
(two, those, boys)

B Wow, they are really tall!

B 몬스터 묘사하기

그림을 보고 밑줄 친 부분을 바르게 고쳐 몬스터를 묘사하는 글을 완성하세요.

This monster has three ① small eyes.
It has one ② black nose. Its ears are ③ big.
It has two ④ short arms. Its legs are ⑤ long.

This monster has three ① ___big___ eyes.
It has one ② ____________ nose. Its ears are ③ ____________.
It has two ④ ____________ arms. Its legs are ⑤ ____________.

UNIT

14

부사

Point 1 부사의 형태

Point 2 부사의 역할

Point 3 빈도부사

• '빠르게', '느리게'와 같이 '~하게'로 해석되는 말을 부사라고 해요.

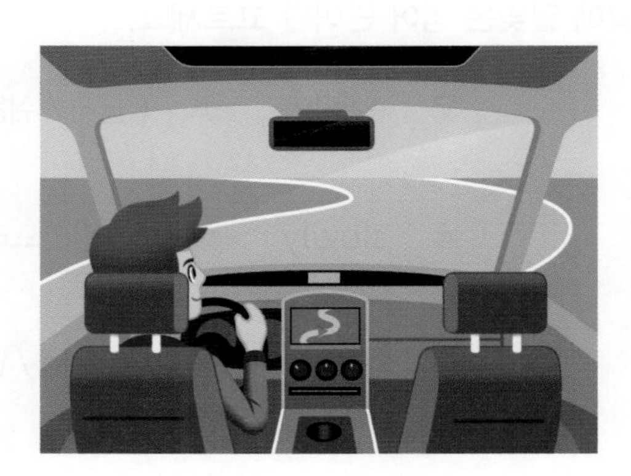

He drives a car carefully.
그는 차를 **조심스럽게** 운전한다.

부사의 형태

1 대부분의 부사는 형용사에 -ly를 붙여서 만들어요.

형용사 -ly				
sad	슬픈	–	sadly	슬프게
kind	친절한	–	kindly	친절하게
slow	느린	–	slowly	느리게
careful	조심스러운	–	carefully	조심스럽게
real	진짜의	–	really	진짜로, 정말로

-y로 끝나는 형용사 y → -ily				
easy	쉬운	–	easily	쉽게
busy	바쁜	–	busily	바쁘게
lucky	운 좋은	–	luckily	운 좋게
happy	행복한	–	happily	행복하게
angry	화난	–	angrily	화가 나서

cf. 불규칙적으로 변하는 경우도 있어요. good 좋은 – well 잘

2 형용사와 형태가 같은 부사도 있어요.

fast	빠른	–	fast	빨리	high	높은	–	high	높이
early	이른	–	early	일찍	late	늦은	–	late	늦게

3 형용사와 상관없이 원래부터 부사인 것도 있어요.

very 매우 too 너무 so 아주 here 여기에 now 지금 soon 곧

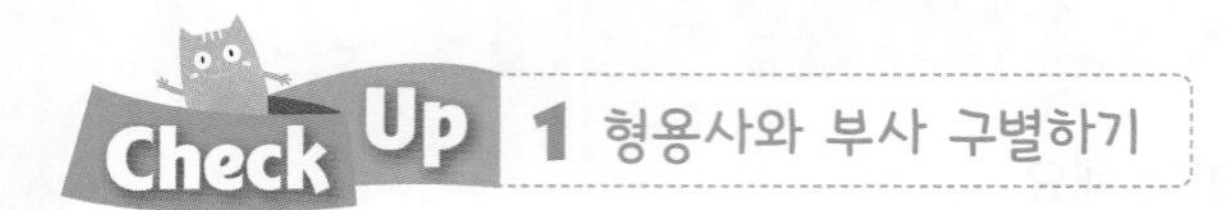

주어진 단어에 알맞은 우리말 뜻 또는 우리말에 알맞은 영어 단어를 고르세요.

1 kindly → (친절한 / 친절하게)

2 easily → (쉽게 / 쉬운)

3 busy → (바쁘게 / 바쁜)

4 slowly → (느린 / 느리게)

5 sad → (슬픈 / 슬프게)

6 잘 → (good / well)

7 빨리 → (fast / fastly)

8 높이 → (high / highly)

9 행복하게 → (happy / happily)

10 늦게 → (late / lately)

Answers p.18

주어진 형용사의 알맞은 부사형을 쓰세요.

	형용사	부사형
1	sad 슬픈	sadly
2	kind 친절한	
3	slow 느린	
4	honest 정직한	
5	careful 조심스러운	
6	loud 소리가 큰	
7	happy 행복한	
8	easy 쉬운	
9	good 좋은	
10	lucky 운 좋은	

Check Up 3 알맞은 부사 고르기

우리말에 맞게 괄호 안에서 알맞은 것을 고르세요.

1 나는 아침 **일찍** 일어난다. → I get up (early / earlily) in the morning.

2 비행기가 **높이** 날고 있다. → A plane is flying (highly / high).

3 John은 말을 **빨리** 한다. → John talks (fastly / fast).

4 그들은 **늦게** 집에 온다. → They come home (late / lately).

5 Lisa는 피아노를 **잘** 친다. → Lisa plays the piano (good / well).

Point 2
부사의 역할

부사는 문장에서 형용사와 동사, 그리고 다른 부사를 꾸며 줘요.

1 형용사를 꾸며 줄 때: 형용사 앞에 써요.

The students are smart.	그 학생들은 똑똑하다.
The students are very **smart**.	그 학생들은 **매우** 똑똑하다.

2 동사를 꾸며 줄 때: 동사의 앞이나 뒤에 써요.

The bird sings.	그 새는 노래한다.
The bird **sings** loudly.	그 새는 **크게** 노래한다.

3 다른 부사를 꾸며 줄 때: 꾸며 주는 부사의 앞에 써요.

The turtle moves slowly.	그 거북이는 느리게 움직인다.
The turtle moves really **slowly**.	그 거북이는 **정말로** 느리게 움직인다.

다음 문장에서 밑줄 친 부사가 꾸며 주는 말을 찾아 쓰세요.

		꾸며 주는 말
1	You are very kind.	(형용사) kind
2	We are so hungry.	(형용사)
3	They sing well.	(동사)
4	They live happily.	(동사)
5	He talks really fast.	(부사)
6	Tom eats very slowly.	(부사)

Check Up 2 부사의 알맞은 위치 고르기

Answers p.18

괄호 안에서 알맞은 것을 고르세요.

1 This candy is (very sweet / sweet very). 이 사탕은 매우 달다.

2 The house is (so beautiful / beautiful so). 그 집은 너무나 아름답다.

3 He is (nice really / really nice) to me. 그는 내게 정말 친절하다.

4 This bag is (heavy too / too heavy). 이 가방은 너무 무겁다.

5 He does this (very easily / easily very). 그는 이것을 매우 쉽게 한다.

6 Sam goes to school (really early / early really). Sam은 정말로 일찍 학교에 간다.

Check Up 3 알맞은 부사 쓰기

우리말에 맞게 빈칸에 알맞은 부사를 쓰세요.

1 나는 춤을 **잘** 춘다. → I dance ___well___.

2 그녀는 **빨리** 달린다. → She runs ________.

3 그는 **높이** 뛴다. → He jumps ________.

4 그들은 **매우 크게** 이야기한다. → They talk ________ ________.

5 엄마는 **조심스럽게** 운전하신다. → Mom drives ________.

6 이 문제는 **매우** 어렵다. → This question is ________ difficult.

Point 3 빈도부사

빈도부사는 어떤 행동을 '얼마나 자주' 하는지 나타내는 부사예요.

1 빈도부사의 종류

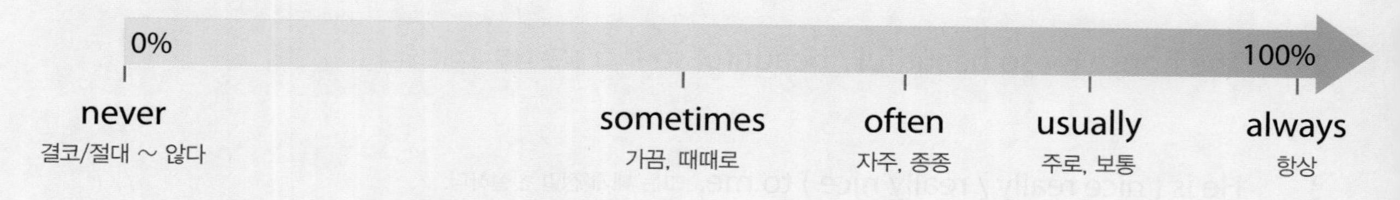

2 빈도부사의 위치

빈도부사는 문장에서 be동사의 뒤, 일반동사의 앞에 위치해요.

I	am	sometimes	late for school.
	be동사	빈도부사	

나는 가끔 학교에 지각한다.

I	always	have	breakfast.
	빈도부사	일반동사	

나는 항상 아침을 먹는다.

Check Up 1 빈도부사의 의미 연결하기

빈도부사의 알맞은 뜻을 골라 연결하세요.

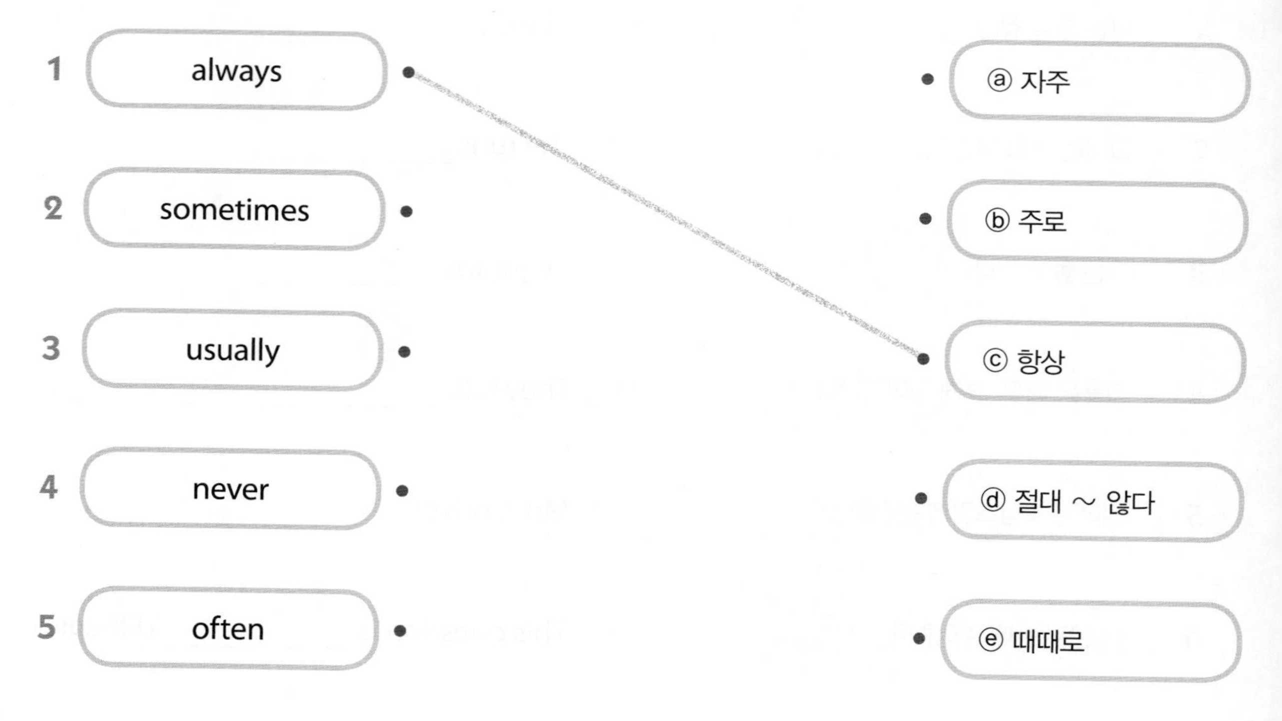

Check Up 2 빈도부사의 의미 고르기

Answers p.18

우리말에 맞게 괄호 안에서 알맞은 것을 고르세요.

1 그녀는 **자주** 배드민턴을 친다.

→ She (never / often) plays badminton.

2 그는 **주로** 티셔츠를 입는다.

→ He (always / usually) wears a T-shirt.

3 우리는 **가끔** 함께 공부한다.

→ We (sometimes / usually) study together.

4 Sam은 **절대** 땅콩을 먹지 **않는다**.

→ Sam (never / often) eats peanuts.

Check Up 3 빈도부사의 위치 고르기

빈도부사의 위치가 바른 문장을 고르세요.

1 ⓐ You lie **never** to me. ⓑ You **never** lie to me.

2 ⓐ She is **always** kind. ⓑ She **always** is kind.

3 ⓐ The shop is **always** open. ⓑ The shop **always** is open.

4 ⓐ He watches **sometimes** TV. ⓑ He **sometimes** watches TV.

5 ⓐ We **often** play basketball. ⓑ We play **often** basketball.

TRAINING 1 사진 보고 문장 완성하기

사진을 보고 밑줄 친 형용사를 적절한 형태의 부사로 바꿔 쓰세요.

1

Snails are slow animals.

They move ___slowly___.

2

The children are good swimmers.

They swim ________.

3

She has a beautiful voice.

She sings ________.

4

He is a fast runner.

He runs ________.

5

She is careful.

She drives ________.

6

She is happy.

She is smiling ________.

WORD BANK snail 달팽이 swimmer 수영하는 사람, 수영 선수 voice 목소리 runner 달리는 사람, 주자

Answers p.18

주어진 단어를 알맞은 위치에 넣어 우리말에 맞게 문장을 쓰세요.

1 She studies hard. 그녀는 열심히 공부한다.

→ She studies very hard. (very) 그녀는 **매우** 열심히 공부한다.

2 He dances well. 그는 춤을 잘 춘다.

→ ______________________ (very) 그는 춤을 **매우** 잘 춘다.

3 That singer is famous. 저 가수는 유명하다.

→ ______________________ (really) 저 가수는 **정말로** 유명하다.

4 These jeans are big. 이 청바지는 크다.

→ ______________________ (too) 이 청바지는 **너무** 크다.

5 Jenny reads books. Jenny는 책을 읽는다.

→ ______________________ (sometimes) Jenny는 **가끔** 책을 읽는다.

6 Kevin walks to school. Kevin은 학교에 걸어간다.

→ ______________________ (usually) Kevin은 **주로** 학교에 걸어간다.

7 She is late for school. 그녀는 학교에 지각한다.

→ ______________________ (often) 그녀는 **자주** 학교에 지각한다.

밑줄 친 부분이 맞으면 O, 틀리면 X 표를 한 후 틀린 부분을 바르게 고쳐 쓰세요.

1 He gets up lately. X → late

2 Paul plays soccer good. ☐ → ______

3 They go to school earlily. ☐ → ______

4 She dances beautiful. ☐ → ______

5 The baby smiles happy. ☐ → ______

6 My dad drives carefully. ☐ → ______

7 He always is polite to everyone. ☐ → ______

8 Amy cleans often her room. ☐ → ______

get up 일어나다 smile 미소 짓다 polite 예의 바른, 공손한 everyone 모든 사람

Answers p.18

주어진 단어를 이용하여 우리말에 맞게 영작하세요.

1 그녀는 **빠르게** 달린다. (fast, runs)

She	runs	fast.
그녀는	달린다	빠르게

2 그들은 도서관에서 **조용히** 공부한다. (study, in the library, quietly)

그들은	공부한다	조용히	도서관에서

3 그 닭고기 수프는 **정말로** 맛있다. (The chicken soup, delicious, really)

그 닭고기 수프는	이다	정말로	맛있는

4 비행기들이 **매우 높이** 난다. (Airplanes, high, fly, very)

비행기들이	난다	매우	높이

5 Kate는 **조심스럽게** 자전거를 탄다. (rides, carefully, her bike)

Kate는	탄다	그녀의 자전거를	조심스럽게

6 John은 **자주** 스마트폰 게임을 한다. (plays, often, mobile games)

John은	자주	한다	스마트폰 게임을

7 그 영화배우는 **항상** 바쁘다. (The movie star, busy, always)

그 영화배우는	이다	항상	바쁜

서술형 WRITING

Answers p.18

A 글 완성하기

밑줄 친 부분을 바르게 고쳐 Brown 씨에 관한 글을 완성하세요.

Mr. Brown is ① real lazy. He gets up late every morning. He moves ② slow. He likes beautiful clothes. He chooses them ③ careful. He wears them ④ happy.

→

Mr. Brown is ① really lazy. He gets up late every morning. He moves ② ________. He likes beautiful clothes. He chooses them ③ ________. He wears them ④ ________.

B 빈도 설명하기

다음은 Ted가 하는 일을 그래프로 나타낸 것입니다. 그래프를 보고 빈도에 맞게 문장을 완성하세요.

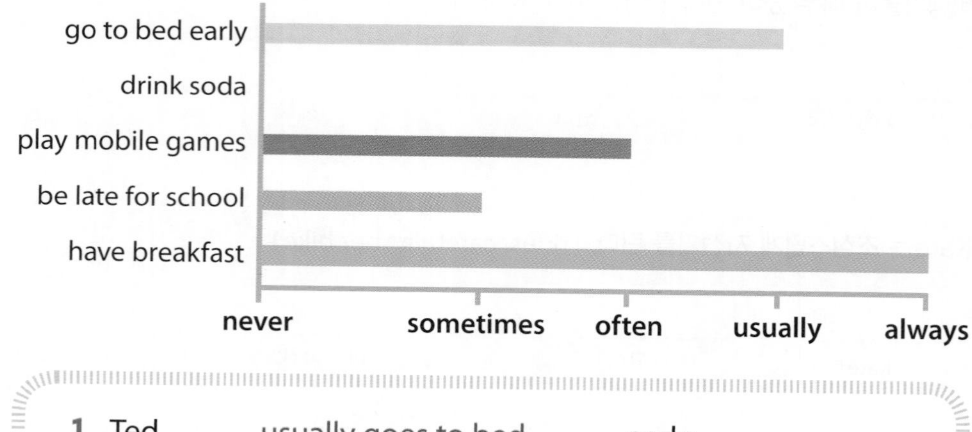

1 Ted usually goes to bed early.

2 He ____________________ soda.

3 He ____________________ mobile games.

4 He ____________________ late for school.

5 He ____________________ breakfast.

UNIT

15

수량을 나타내는 표현

Point 1 many, much, a lot of

Point 2 some, any

• '많은 책', '약간의 설탕'처럼 구체적이지 않은 수량을 나타낼 때 many나 some 등을 사용해요.

She has many books.
그녀는 **많은** 책을 가지고 있다.

I need some sugar.
나는 **약간의** 설탕이 필요하다.

many, much, a lot of

1 many와 much는 둘 다 '많은'이라는 의미이지만 뒤에 오는 명사가 달라요.

many + 셀 수 있는 명사의 복수형	many books	많은 책들
	many children	많은 아이들
much + 셀 수 없는 명사	much time	많은 시간
	much milk	많은 우유

2 a lot of도 '많은'이라는 의미이며, many와 much 대신 쓸 수 있어요.

a lot of +	셀 수 있는 명사의 복수형	a lot of eggs <= many eggs>	많은 달걀들
	셀 수 없는 명사	a lot of money <= much money>	많은 돈

조심해요! much와 a lot of 다음에 오는 셀 수 없는 명사는 모두 단수형으로 써야 해요.
much waters (X) much water (O)

Check Up 1 many, much 고르기

괄호 안에서 알맞은 것을 고르세요.

1 (many / much) pencils

2 (many / much) water

3 (many / much) love

4 (many / much) students

5 (many / much) homework

6 (many / much) bread

7 (many / much) classes

8 (many / much) trees

9 (many / much) air

10 (many / much) stories

11 (many / much) boys

12 (a lot of / much) books

Check Up 2 many, much 쓰기

Answers p.19

many/much와 주어진 단어를 이용하여 우리말에 맞게 쓰세요.

1 많은 달걀들 (egg) → many eggs

2 많은 아이들 (child) → ______ ______

3 많은 물 (water) → ______ ______

4 많은 오렌지들 (orange) → ______ ______

5 많은 소금 (salt) → ______ ______

6 많은 돈 (money) → ______ ______

Check Up 3 many, much, a lot of 고르기

괄호 안에서 알맞은 것을 모두 고르세요.

1 He needs (many / much) socks.

2 I don’t have (many / much) time.

3 Jina knows (many / much) new songs.

4 Tom doesn’t drink (many / much / a lot of) water every day.

5 (Many / Much / A lot of) children believe in Santa.

6 They don’t have (many / much / a lot of) work today.

7 We read (many / much / a lot of) books every week.

8 He doesn’t put (many / much / a lot of) sugar in his coffee.

Point 2 some, any

1 some과 any는 '조금, 약간'의 의미를 나타내며, some은 주로 긍정문에 쓰고 any는 부정문이나 의문문에 써요.

some	(긍정문) 약간의, 몇몇의	I have some pencils. 나는 연필이 몇 개 있다.
any	(의문문) 약간의, 몇몇의	Do you have any pencils? 너는 연필이 좀 있니?
	(부정문) 조금도, 하나도, 전혀	I don't have any pencils. 나는 연필이 하나도 없다.

cf. some은 주로 긍정문에 쓰이지만 권유나 허락을 나타낼 때는 의문문에 쓰이기도 해요.
Can I have some bread? 내가 빵을 좀 먹어도 되니?

2 some과 any 뒤에는 셀 수 있는 명사의 복수형과 셀 수 없는 명사가 모두 올 수 있어요.

some, any + 셀 수 있는 명사의 복수형	I have some **apples**. I don't have any **apples**.	나는 사과가 **몇 개** 있다. 나는 사과가 **하나도** 없다.
some, any + 셀 수 없는 명사	I have some **money**. I don't have any **money**.	나는 돈이 **좀** 있다. 나는 돈이 **하나도** 없다.

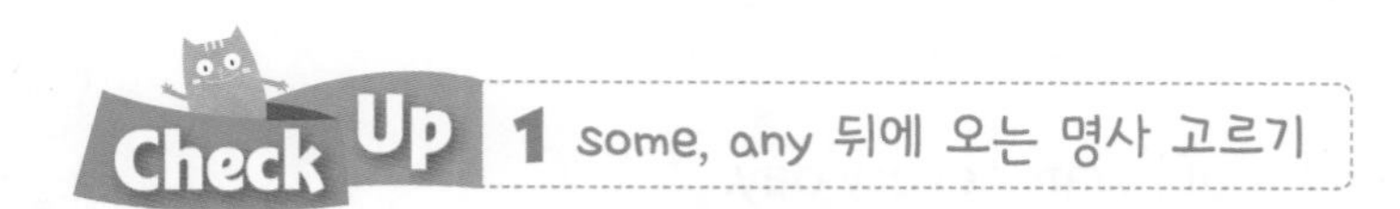

우리말에 맞게 괄호 안에서 알맞은 것을 고르세요.

1 약간의 우유 → some (milk / milks)
2 몇 개의 달걀 → any (egg / eggs)
3 몇 그루의 나무 → some (tree / trees)
4 약간의 설탕 → any (sugar / sugars)
5 약간의 돈 → some (money / moneys)
6 몇 개의 장난감 → any (toy / toys)
7 약간의 빵 → some (bread / breads)
8 약간의 치즈 → any (cheese / cheeses)

Check Up 2 some, any 고르기

Answers p.19

괄호 안에서 알맞은 것을 고르세요.

1 I have (some / any) pens.
I don't have (some / any) erasers.

2 We have (some / any) milk.
We don't have (some / any) cheese.

3 She wants (some / any) oranges.
She doesn't want (some / any) apples.

4 He wants (some / any) water.
He doesn't want (some / any) juice.

5 They have (some / any) money.
They don't have (some / any) time.

6 You want (some / any) potatoes.
You don't want (some / any) onions.

7 They need (some / any) coffee.
They don't need (some / any) salt.

8 She knows (some / any) songs.
She doesn't know (some / any) words.

우리말에 맞게 주어진 단어와 many/much/some/any를 이용하여 문장을 완성하세요.

1 I have ___many___ ___friends___. (friend) 나는 친구가 많다.
I don't have ___much___ ___homework___. (homework) 나는 숙제가 많지 않다.

2 She doesn't need ________ ________. (bag) 그녀는 많은 가방이 필요하지 않다.
He doesn't need ________ ________. (time) 그는 많은 시간이 필요하지 않다.

3 They eat ________ ________. (apple) 그들은 많은 사과를 먹는다.
They don't eat ________ ________. (bread) 그들은 많은 빵을 먹지 않는다.

4 We don't buy ________ ________. (pencil) 우리는 많은 연필을 사지 않는다.
We don't buy ________ ________. (juice) 우리는 많은 주스를 사지 않는다.

5 They have ________ ________. (money) 그들은 돈이 좀 있다.
They don't have ________ ________. (money) 그들은 돈이 조금도 없다.

6 You know ________ ________ here. (people) 너는 여기 사람들을 좀 안다.
You don't know ________ ________ here. (people) 너는 여기 사람들을 하나도 모른다.

7 I need ________ ________ now. (help) 나는 지금 도움이 좀 필요하다.
I don't need ________ ________ now. (help) 나는 지금 도움이 전혀 필요하지 않다.

TRAINING 2 사진 보고 문장 완성하기

Answers p.19

사진을 보고 괄호 안에서 알맞은 말을 고라 문장을 완성하세요.

1

He is a new student. He doesn't have

___any___ friends. (some / any)

2

She is poor. She doesn't have

__________ money. (many / much)

3

He is busy. He doesn't have __________

free time. (many / much)

4

She is very popular. She has

__________ fans. (many / much)

5

The library is big. It has __________

books. (many / much)

6

We need cheese. We don't have

__________ cheese. (some / any)

WORD BANK

poor 가난한 free time 자유 시간 fan 팬 library 도서관

TRAINING 3 틀린 문장 고쳐 쓰기

밑줄 친 부분이 우리말에 맞으면 O, 틀리면 X 표를 한 후 틀린 부분을 바르게 고쳐 쓰세요.

1 He doesn't have much classes today.
그는 오늘 수업이 많지 않다.
X → many/a lot of

2 We want any milk.
우리는 우유를 조금 원한다.
( ) → ( )

3 She knows much English words.
그녀는 많은 영어 단어를 안다.
( ) → ( )

4 I don't have some questions.
나는 질문이 전혀 없다.
( ) → ( )

5 Does he drink a lot of water?
그는 물을 많이 마시니?
( ) → ( )

6 We don't have many time.
우리는 시간이 많지 않다.
( ) → ( )

7 They need some helps now.
그들은 지금 도움이 좀 필요하다.
( ) → ( )

8 Do you go to much concerts every year?
너는 매년 많은 콘서트에 가니?
( ) → ( )

word 단어 question 질문 concert 콘서트, 연주회 every year 해마다, 매년

Answers p.19

주어진 단어를 이용하여 우리말에 맞게 영작하세요. (부정문은 줄임말로 쓸 것)

1 그녀는 **많은** 책을 읽는다. (reads, book, a lot of)

She	reads	a lot of books.
그녀는	읽는다	많은 책들을

2 나는 숙제가 **많지** 않다. (have, homework, much)

나는	가지고 있지 않다	많은 숙제를

3 우리는 달걀이 **많이** 필요하지 않다. (many, need, egg)

우리는	필요하지 않다	많은 달걀들이

4 그는 돈을 **조금도** 원하지 않는다. (money, any, want)

그는	원하지 않는다	조금의 돈도

5 그들은 **많은** 질문을 한다. (many, ask, question)

그들은	묻는다	많은 질문들을

6 나는 **많은** 주스를 사지 않는다. (juice, much, buy)

나는	사지 않는다	많은 주스를

7 그는 매일 치즈를 **약간** 먹는다. (some, eats, cheese, every day)

그는	먹는다	약간의 치즈를	매일

서술형 WRITING

Answers p.19

A 수량 나타내기

사진을 보고 빈칸에 알맞은 말을 보기 에서 모두 골라 쓰세요.

보기	many	much	a lot of

1 ______________ cheese

2 ______________ apples

3 ______________ snow

B 음식 목록 정리하기

다음은 Kate와 친구들이 각자 가지고 있는 음식을 적은 목록입니다. 내용에 맞게 some과 any를 이용해서 문장을 완성하세요.

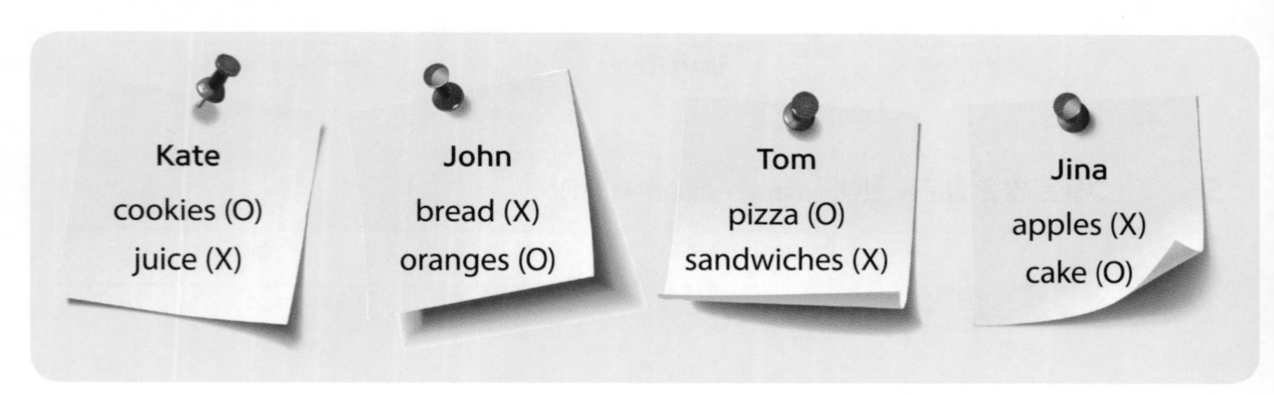

1 Kate has some cookies. She doesn't have any juice.

2 John doesn't have ______________. He has ______________.

3 Tom has ______________. He doesn't have ______________.

4 Jina doesn't have ______________. She has ______________.

UNIT

16

There is/are

Point 1 There is/are의 형태와 의미

Point 2 There is/are의 부정문과 의문문

• '~이 있다'라고 말하고 싶을 때는 「There is/are ~.」로 표현해요.

There is a swimming pool in my house.
우리 집에는 수영장이 있다.

There is/are의 형태와 의미

1 There is/are는 '~이 있다'라는 의미예요. 이때 문장의 주어는 There이 아니라 is/are 뒤에 오는 명사예요. 문장에서 There는 해석하지 않아요.

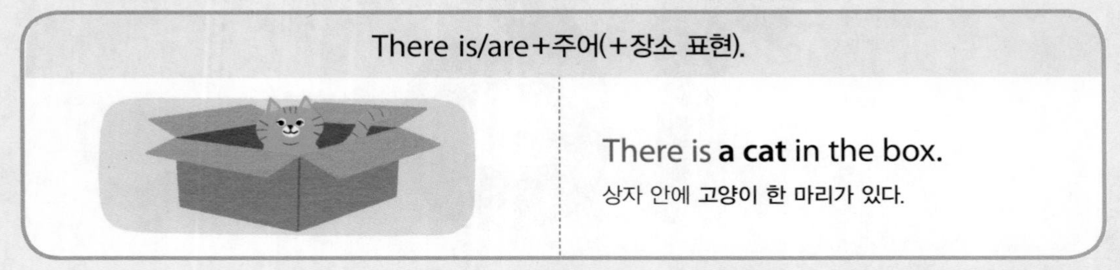

There is/are+주어(+장소 표현).

There is **a cat** in the box.
상자 안에 **고양이 한 마리가** 있다.

2 be동사는 뒤에 오는 명사의 수에 따라 is나 are를 써요.

There is+	단수 명사	**There is** a carrot in the fridge. 냉장고에 당근 한 개가 있다.
	셀 수 없는 명사	**There is** some cheese in the fridge. 냉장고에 치즈가 좀 있다.
There are+	복수 명사	**There are** two eggs in the fridge. 냉장고에 달걀 두 개가 있다.

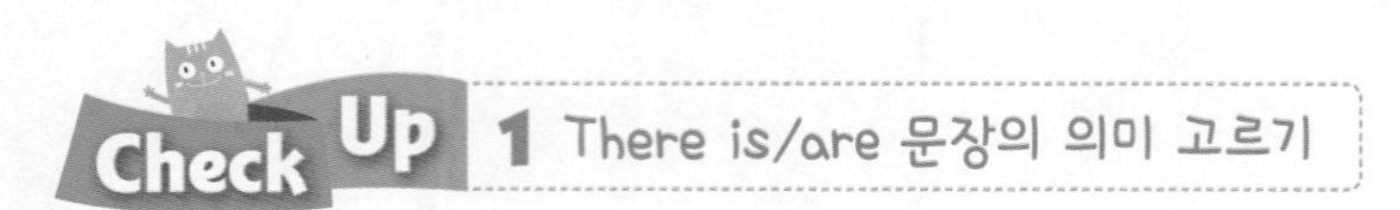

다음 문장을 바르게 해석한 것을 고르세요.

1 There is a chair in the room.
ⓐ 거기에 의자 한 개가 방에 있다.
ⓑ 방에 의자 한 개가 있다.

2 There are three potatoes in the box.
ⓐ 거기에 감자 세 개가 상자 안에 있다.
ⓑ 상자 안에 감자 세 개가 있다.

3 There is some water on the table.
ⓐ 거기에 물이 좀 탁자 위에 있다.
ⓑ 탁자 위에 물이 좀 있다.

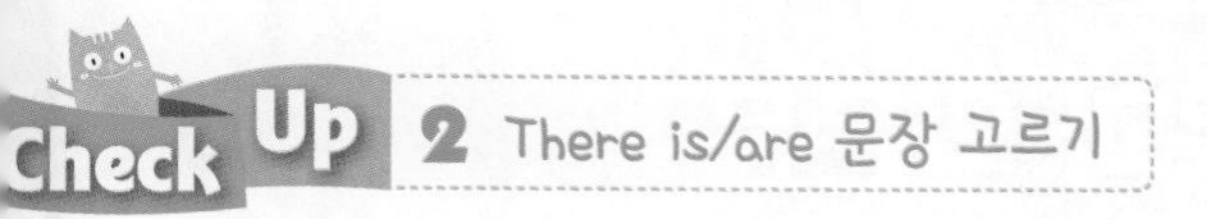

Answers p.20

괄호 안에서 알맞은 것을 고르세요.

1 There (is / are) a dog in the park.

2 There (is / are) two buses on the street.

3 There (is / are) seven days in a week.

4 There (is / are) a clock on the wall.

5 There (is / are) some bread on the table.

6 There (is / are) six balls in the box.

Check Up 3 There is/are 문장에서 주어 찾기

다음 문장에서 주어를 찾아 빈칸에 쓰세요.

1 There is a pen in my bag. → a pen

2 There is some paper on his desk. → ____________

3 There is a man outside. → ____________

4 There is some sugar here. → ____________

5 There are many books in the library. → ____________

6 There is ice on the road. → ____________

7 There are two parks in our town. → ____________

2 There is/are의 부정문과 의문문

1 There is/are의 부정문: is/are 뒤에 not을 쓰며, '~이 없다'라는 의미예요.

There is/are not+주어(+장소 표현).

There are not any trees in the garden.
정원에 나무가 없다.

cf. 부정문에서 is not과 are not은 주로 줄여 써요.
There is not → There isn't　　There are not → There aren't

2 There is/are의 의문문: Is/Are를 문장의 맨 앞에 쓰며, '~이 있니?'라는 의미예요.

Is there a tree in the garden? 정원에 나무 한 그루가 있니?	Yes, there is. 응, 있어. No, there isn't. 아니, 없어.
Are there two trees in the garden? 정원에 나무 두 그루가 있니?	Yes, there are. 응, 있어. No, there aren't. 아니, 없어.

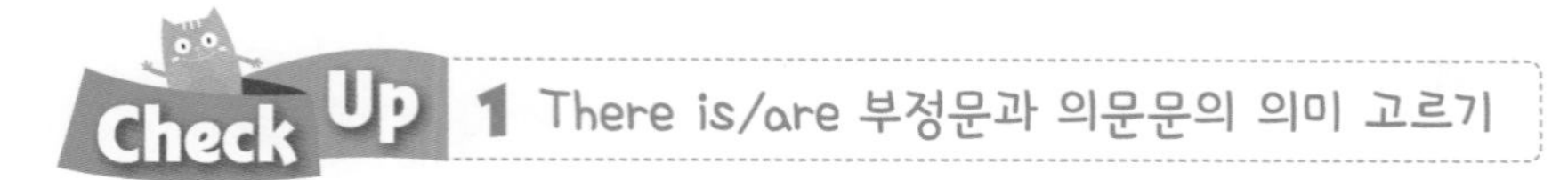

Check Up 1 There is/are 부정문과 의문문의 의미 고르기

다음 문장을 바르게 해석한 것을 고르세요.

1 There isn't a cat under the table.
ⓐ 거기에 고양이가 탁자 밑에 없다.
ⓑ 탁자 밑에 고양이가 없다.

2 There isn't any cheese in my sandwich.
ⓐ 거기에 치즈가 내 샌드위치에 없다.
ⓑ 내 샌드위치에 치즈가 없다.

3 Is there a bag under the desk?
ⓐ 거기에 가방이 책상 밑에 있니?
ⓑ 책상 밑에 가방이 있니?

4 Is there any milk in the refrigerator?
ⓐ 거기에 우유가 냉장고에 있니?
ⓑ 냉장고에 우유가 있니?

Check Up 2 There is/are 부정문과 의문문 고르기

Answers p.20

괄호 안에서 알맞은 것을 고르세요.

1 There (isn't / aren't) a book on the desk.
There (isn't / aren't) any books on the desk.

2 There (isn't / aren't) a banana in the basket.
There (isn't / aren't) any strawberries in the basket.

3 There (isn't / aren't) any milk on the table.
There (isn't / aren't) any cups on the table.

4 (Is / Are) there a hat on the bed?
(Is / Are) there dolls on the bed?

5 (Is / Are) there water on the table?
(Is / Are) there tomatoes on the table?

6 (Is / Are) there any juice in the glass?
(Is / Are) there any students in the classroom?

7 There (is / isn't) any bread at home.
There (are / aren't) any clouds in the sky.

8 (Is / Are) there any soup in the pot?
(Is / Are) there any restaurants near here?

다음 문장을 지시대로 바꿔 쓰세요. (부정문은 줄임말로 쓸 것)

1 There is a boy in the pool.
복수형 → There ___are___ ___boys___ in the pool.

2 There is a bag on the desk.
복수형 → ________ ________ three ________ on the desk.

3 There is a park in my town.
부정문 → ________ ________ a park in my town.

4 There is some salt on the table.
부정문 → ________ ________ any salt on the table.

5 There is some pizza in the kitchen.
부정문 → ________ ________ any pizza in the kitchen.

6 There are stars in the sky.
의문문 → ________ ________ stars in the sky?

7 There is a bus stop near here.
의문문 → ________ ________ a bus stop near here?

WORD BANK town 도시, 마을 salt 소금 kitchen 부엌 star 별 bus stop 버스 정류장 near 가까이

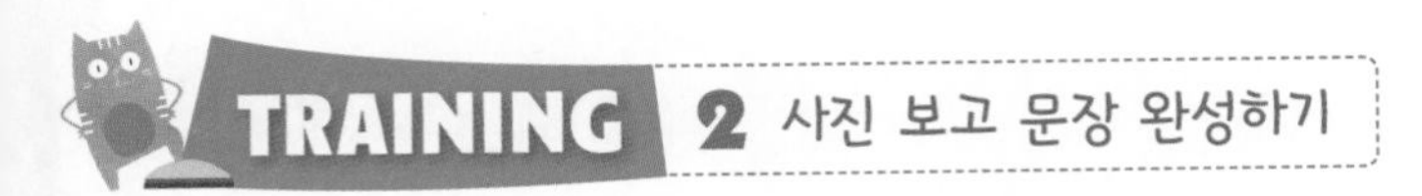

Answers p.20

사진을 보고 보기 에서 알맞은 말을 골라 There is/are를 이용하여 문장을 완성하세요.

보기	~~apple~~	money	book	water

1

___There___ ___are___ three ___apples___ in the basket.

2

________ ________ a ________ on the chair.

3

________ ________ ________ in the bottle.

4

A ________ ________ a dog outside?

B Yes, there is.

5

A ________ ________ any money in the wallet?

B No, there isn't.

6

A ________ ________ any people in the room?

B No, there aren't.

밑줄 친 부분이 맞으면 O, 틀리면 X 표를 한 후 틀린 부분을 바르게 고쳐 쓰세요.

1 Are there a key on the table? X → Is

2 Is there any pens in the pencil case? →

3 Are there homework today? →

4 There are some meat on the plate. →

5 There are five children in the park. →

6 There isn't any books on the bookshelf. →

7 Is there any onions at home? →

8 There aren't any wind today. →

WORD BANK meat 고기 plate 접시 bookshelf 책장, 책꽂이 onion 양파 wind 바람

Answers p.20

주어진 단어와 There is/are를 이용하여 우리말에 맞게 영작하세요. (부정문은 줄임말로 쓸 것)

1 나무 아래에 고양이 한 마리가 **있다.** (under the tree, a cat)

There is	a cat	under the tree.
있다	고양이 한 마리가	나무 아래에

2 내 방에 책상이 두 개 **있다.** (in my room, desks)

있다	책상 두 개가	내 방에

3 식탁 위에 버터가 좀 **있다.** (on the table, some butter)

있다	약간의 버터가	식탁 위에

4 교실에 학생들이 좀 **있니?** (in the classroom, any students)

있니	몇몇의 학생들이	교실에

5 부엌에 빵이 좀 **있니?** (in the kitchen, any bread)

있니	약간의 빵이	부엌에

6 밖에 아이들이 한 명도 **없다.** (outside, any kids)

없다	어떠한 아이들도	밖에

7 내 주머니에 돈이 하나도 **없다.** (in my pocket, any money)

없다	조금의 돈도	내 주머니에

Answers p.20

A 사진에 맞게 대화 완성하기

사진을 보고 There is/are를 이용하여 대화를 완성하세요.

1
A ______ ______ a wallet on the table?
B Yes, ______ ______.

2
A ______ ______ any students in the classroom?
B No, ______ ______.

B 운동장 묘사하기

다음은 학교 운동장을 묘사한 글입니다. 그림을 보고 주어진 단어를 이용하여 문장을 완성하세요.

This is my school.

1 There is a playground at my school. (a playground)

2 ______ on the playground. (three kids)

3 ______ on the playground. (two swings)

4 ______ on the playground. (a slide)

*swing 그네
*slide 미끄럼틀

REVIEW TEST 4

Units 13-16

Answers p.21

1 나머지와 성격이 다른 단어를 고르세요.

① happy ② dirty
③ old ④ quickly
⑤ pretty

2 부사의 형태가 잘못된 것을 고르세요.

① slow – slowly
② good – well
③ fast – fastly
④ lucky – luckily
⑤ careful – carefully

3 밑줄 친 부분이 잘못된 것을 고르세요.

① I have an old bike.
② That blue bag is mine.
③ Is this Amy's new watch?
④ Jane Baker is my favorite singer.
⑤ Tall two boys are playing basketball.

4 문장에서 주어진 단어가 들어갈 위치로 알맞은 곳을 고르세요.

Emily ① is ② late ③ for ④ the ⑤ meeting. (never)

5 빈칸에 들어갈 말로 알맞지 않은 것을 고르세요.

We need a lot of __________.

① chair ② pencils
③ bread ④ apples
⑤ water

6 밑줄 친 부분의 쓰임이 바른 것을 고르세요.

① I have many time.
② He drinks many tea.
③ They read many books.
④ She asks much questions.
⑤ Much boys are swimming here.

7 빈칸에 들어갈 말로 알맞은 것을 고르세요.

There are ______________ in the fridge.

① a watermelon
② a lot of milk
③ some butter
④ much cheese
⑤ two carrots

도전문제

8 빈칸에 들어갈 be동사의 형태가 나머지와 다른 것을 고르세요.

① There ________ a cat on the sofa.
② ________ there any books on the desk?
③ ________ there one soccer ball in the box?
④ There ________ not much water in the bottle.
⑤ There ________ some orange juice in the glass.

서술형

9 우리말에 맞게 주어진 단어를 바르게 배열하여 문장을 완성하세요.

저 귀여운 강아지들은 Ted의 것이다.

→ ______________________ are Ted's.
(cute, puppies, those)

10 주어진 단어를 넣어 문장을 다시 쓰세요.

My mom gets up early in the morning. (always)

→ ______________________________

11 주어진 문장을 아래와 같이 바꿔 쓸 때 빈칸에 알맞은 말을 쓰세요.

There is an apple in the basket.

→ ____________ ____________ five apples in the basket.

12 주어진 문장을 지시대로 바꿔 쓰세요.

There is a library in this town.

(1) 부정문으로
→ ______________________________

(2) 의문문으로
→ ______________________________

MEMO

MEMO

문장 쓰기가 쉬워지는 초등 영문법

Grammar CLEAR Starter 1

Answers

Grammar CLEAR Starter 1

Answers

UNIT 01 셀 수 있는 명사

Point 1 셀 수 있는 명사의 종류와 특징

Check Up 1 p.12

1 girl, father
2 car, desk
3 flower, cat
4 school, park

Check Up 2 p.13

1 tree, banana, teacher, lion
2 books, computers, classrooms, students

Check Up 3 p.13

1 car
2 pencil
3 tiger
4 library
5 doctors
6 house
7 chairs
8 movies

Point 2 명사의 복수형: 규칙 변화

Check Up 1 p.14

1 pens
2 watches
3 tomatoes
4 babies
5 knives
6 buses
7 brushes
8 pianos
9 cities
10 toys

Check Up 2 p.15

1 balls
2 friends
3 books
4 windows
5 monkeys
6 students
7 classes
8 benches
9 dishes
10 heroes
11 foxes
12 dresses
13 stories
14 countries
15 cities
16 puppies
17 knives
18 leaves
19 wolves
20 thieves

Point 3 명사의 복수형: 불규칙 변화

Check Up 1 p.16

1 feet
2 children
3 mice
4 fish
5 teeth
6 women
7 deer
8 men
9 sheep
10 scissors
11 jeans
12 pants

Check Up 2 p.17

1 children
2 teeth
3 mice
4 women
5 fish
6 feet
7 sheep
8 men

Check Up 3 p.17

1 feet
2 child
3 scissors
4 deer
5 women

TRAINING 1 문장 비교하기 p.18

1 book, books
2 tooth, teeth
3 child, children
4 woman, women
5 city, cities
6 leaf, leaves

TRAINING 2 사진 보고 문장 완성하기 p.19

1 sheep
2 glasses
3 knives
4 foxes, wolves
5 tomatoes, potatoes
6 men, mice

TRAINING 3 틀린 문장 고쳐 쓰기 p.20

1 X, men
2 X, fish
3 X, children
4 X, benches
5 O
6 X, knives
7 X, parties
8 X, scissors

TRAINING 4 통문장 쓰기 p.21

1 I / have / two watches.
2 My sister / wants / four boxes.
3 The movie / is / about / two wolves.
4 Three mice / live / on this farm.
5 He / writes / two stories / every week.

6 Mom / visits / three cities / every year.
7 Five boys / play / basketball.

서술형 **WRITING** p. 22

A ① eraser ② books
③ pencils ④ notebooks

B 1 three oranges 2 four potatoes
3 two kitchen knives 4 ten strawberries

해석

A A 너는 가방에 무엇을 가지고 있니?
B 나는 한 개의 지우개와 두 권의 책, 세 자루의 연필, 네 권의 공책을 가지고 있어.

B 1 나는 오렌지 세 개가 필요하다.
2 나는 감자 네 개가 필요하다.
3 나는 부엌칼 두 개가 필요하다.
4 나는 딸기 열 개가 필요하다.

UNIT 02 셀 수 없는 명사

Point 1 셀 수 없는 명사의 종류와 특징

Check Up 1 p. 24

1 Jenny, France, London, Tuesday
2 salt, milk, water, air
3 love, happiness, health, peace

Check Up 2 p. 25

1 bread 2 milk
3 Seoul 4 Sugar
5 Spain 6 peace
7 water 8 Health
9 Sam 10 love

Point 2 물질명사의 수량 표현

Check Up 1 p. 26

1 cake 2 water
3 juice 4 soup
5 cheese

Check Up 2 p. 27

1 glass 2 piece
3 bottle 4 slices
5 bowls 6 sheets

Check Up 3 p. 27

1 cups, tea 2 bowls, rice
3 sheets, paper 4 pieces, cake
5 bottles, milk 6 slices, cheese

TRAINING 1 문장 비교하기 p. 28

1 a glass of juice 2 a cup of coffee
3 a bowl of soup 4 ten slices of pizza
5 a piece of cake 6 two bottles of milk

TRAINING 2 사진 보고 문장 완성하기 p. 29

1 two cups 2 three bottles
3 two sheets 4 two glasses
5 two bowls 6 Three slices

TRAINING 3 틀린 문장 고쳐 쓰기 p. 30

1 X, love 2 X, health
3 X, pizza 4 O
5 X, bread 6 X, bottles
7 X, cup 8 X, London

TRAINING 4 통문장 쓰기 p. 31

1 Jina / eats / a piece of cake / every day.
2 I / want / a glass of water / now.
3 Dad / eats / two bowls of rice / every morning.
4 Mom / drinks / a cup of coffee / in the morning.
5 We / buy / three bottles of juice / every week.
6 He / wants / a slice of cheese.
7 I / need / three sheets of paper.

서술형 **WRITING** p. 32

A ① Jim ② France
③ bread

B 1 two pieces/slices of 2 a bottle of
3 three pieces/slices of
4 a glass of

해석

A 이 사람은 나의 친구 Jim이다. 그는 프랑스에서 왔다. 그는 빵과 케이크를 만든다. 우리는 좋은 친구들이다.

B 1 Kate는 케이크 두 조각을 원한다.
2 John은 오렌지 주스 한 병을 원한다.
3 Lisa는 피자 세 조각을 원한다.
4 Ted는 우유 한 잔을 원한다.

UNIT 03 관사

Point 1 부정관사 a/an

Check Up 1 p.34

1 toy, baby, uniform, rabbit
2 apple, egg, umbrella, hour

Check Up 2 p.35

1 a
2 an
3 an
4 a
5 a
6 an
7 an
8 an
9 a
10 a

Check Up 3 p.35

1 a
2 an
3 an
4 a
5 an
6 a
7 an
8 a
9 an
10 a

Point 2 정관사 the

Check Up 1 p.36

1 a, the
2 an, the
3 a, the
4 a, the
5 the, the
6 the, the

Check Up 2 p.37

1 the teacher
2 a doctor
3 the sun
4 the moon
5 play the violin
6 play the piano

Check Up 3 p.37

1 The
2 The
3 a
4 the
5 The
6 the

Point 3 정관사 the를 쓰지 않는 경우

Check Up 1 p.38

1 have dinner
2 play baseball
3 study math
4 by train
5 play the cello

Check Up 2 p.39

1 X
2 X
3 X
4 X
5 the
6 The
7 X
8 the
9 X
10 X

TRAINING 1 문장 비교하기 p.40

1 a raincoat, an umbrella
2 an orange, a strawberry
3 tennis, the piano
4 a banana, dinner
5 science, the sun
6 a bird, The bird
7 a student, The students

TRAINING 2 사진 보고 문장 완성하기 p.41

1 bear, The bear
2 cats, The cats
3 The moon
4 the guitar
5 soccer
6 lunch

TRAINING 3 틀린 문장 고쳐 쓰기

p.42

1 X, music
2 X, the sky
3 X, lunch
4 X, The
5 X, soccer
6 X, the violin
7 O
8 X, a uniform

TRAINING 4 통문장 쓰기

p.43

1 I / have / breakfast / at 7:30.
2 John / likes / math.
3 They / play / badminton / in the park.
4 Mom / goes to work / by subway.
5 She / plays / the piano / every morning.
6 We / play / baseball / after school.
7 The boy / likes / art.

서술형 WRITING

p.44

A 1 a cat, The cat
2 an umbrella, The umbrella

B ① The sun ② play basketball
③ have lunch ④ play the guitar

해석

A 1 그는 고양이를 가지고 있다. 그 고양이는 귀엽다.
2 그녀는 우산을 가지고 있다. 그 우산은 빨간색이다.

B 이것은 공원이다. 태양이 하늘에 있다. 아이들이 공원에서 농구를 한다. 많은 소녀들이 여기에서 점심을 먹는다. 나는 여기에서 매일 기타를 친다.

REVIEW TEST 1 (Units 1-3)

pp.45~46

1 ② 2 ① 3 ④ 4 ③ 5 ⑤ 6 ④ 7 ③
8 ② 9 children 10 a, The
11 apples, tomatoes
12 glasses of, bottles of

1 해설 ② 「자음 + y」로 끝나는 명사는 y를 i로 바꾸고 es를 붙여 복수형을 만드므로 baby – babies가 맞다.

2 해설 ① 추상명사인 love와 물질명사인 water는 셀 수 없다.

3 ① 아빠는 생선을 많이 드신다.
② 내 여동생은 안경을 쓴다.
③ 그는 양이 세 마리 있다.
④ 나는 커피에 설탕을 원한다.
⑤ 저녁을 먹은 후 이를 닦아라.
해설 ④ sugar는 셀 수 없는 명사이므로 복수형으로 쓸 수 없다.

4 해설 a piece of는 '한 조각의'라는 의미로, 조각으로 나눌 수 있는 물질명사를 셀 때 쓰인다. milk는 a glass/bottle of milk가 자연스럽다.

5 해설 부정관사는 뒤에 오는 단어의 첫소리가 자음일 때는 a, 모음일 때는 an을 쓴다. ⑤ uniform은 철자는 u로 시작하지만 발음은 [juːnifɔː(r)m]으로 반자음으로 소리나므로 앞에 a를 써야 한다.

6 ① 나는 버스를 타고 학교에 간다.
② 나는 1시에 점심을 먹는다.
③ Jina는 매일 피아노를 친다.
④ Ted는 방과 후에 바이올린을 켠다.
⑤ 그들은 공원에서 축구를 한다.
해설 ① 「by + 교통수단」에는 관사를 쓰지 않는다. ② 식사 이름 앞에는 관사를 쓰지 않는다. ③ 악기 이름 앞에는 정관사 the를 써야 한다. ⑤ 운동 이름 앞에는 관사를 쓰지 않는다.

7 • 우리는 아파트에 산다.
• 오늘 밤 하늘에 많은 별들이 있다.
해설 ⓐ apartment는 첫소리가 모음으로 시작하므로 앞에 an을 쓴다. ⓑ 유일한 것 앞에는 the를 쓰므로 sky 앞에는 정관사 the가 알맞다.

8 ① Tom은 수학을 좋아한다.
② 태양이 밝게 빛난다.
③ 우리는 7시에 아침을 먹는다.
④ 방과 후에 축구를 하자.
⑤ 그들은 버스를 타고 학교에 간다.
해설 ② 유일한 것인 sun 앞에는 the를 쓴다. ① 과목 이름, ③ 식사 이름, ④ 운동 이름, ⑤ 「by + 교통수단」에는 the를 쓰지 않는다.

9 해설 child의 복수형은 children이다.

10 해설 첫 번째 문장의 dog는 셀 수 있는 명사의 단수형이고 자음으로 시작하므로 a가 알맞다. 두 번째 문장의 dog는 앞에 나온 a dog를 다시 말하는 것이므로 The가 알맞다.

11 Emily는 사과 한 개와 토마토 한 개를 먹는다.
→ Emily는 사과 두 개와 토마토 세 개를 먹는다.
해설 apple의 복수형은 apples, tomato의 복수형은 tomatoes이다.

12 그는 우유 한 잔과 물 한 병을 마신다.
→ 그는 우유 세 잔과 물 두 병을 마신다.
해설 물질명사를 복수형으로 표현할 때는 용기나 단위를 나타내는 명사를 복수형으로 쓴다.

UNIT 04 인칭대명사 1

Point 1 주격 인칭대명사

Check Up 1
p. 48

1 You
2 It
3 She
4 We

Check Up 2
p. 49

1 we
2 we
3 we
4 you
5 you
6 they
7 they
8 they
9 they
10 they
11 he
12 she

Check Up 3
p. 49

1 She
2 He
3 It
4 We
5 They
6 You

Point 2 목적격 인칭대명사

Check Up 1
p. 50

1 me, 나를
2 you, 너를
3 him, 그를
4 her, 그녀를
5 it, 그것을
6 us, 우리를
7 them, 그들을

Check Up 2
p. 51

1 him
2 her
3 She
4 them
5 They
6 him
7 us
8 It
9 They
10 me

TRAINING 1 문장 비교하기
p. 52

1 They, them
2 She, her
3 He, him
4 We, us
5 It, it
6 They, them
7 I, me

TRAINING 2 사진 보고 문장 완성하기
p. 53

1 He
2 it
3 They
4 It
5 You
6 them

TRAINING 3 틀린 문장 고쳐 쓰기
p. 54

1 X, We
2 X, it
3 O
4 X, them
5 X, You
6 X, her
7 X, They
8 X, us

TRAINING 4 통문장 쓰기
p. 55

1 He / is / my brother.
2 She / buys / many books.
3 I / like / her / very much.
4 You / play / it / often.
5 I / use / them / every day.
6 We / are / in the same club.
7 I / know / them / well.

서술형 WRITING
p. 56

A 1 He
2 We
3 them

B ① She
② him
③ them
④ it

해석

A 1 이 사람은 Jack이다. 그는 여동생 두 명이 있다.
2 이 사람은 Ben이다. Ben과 나는 친구이다. 우리는 같은 반이다.
3 그들은 Lucy와 Anna이다. 그들은 다정하다. 나는 정말로 그들을 좋아한다.

B 이 사람은 나의 친구 Jane이다. 그녀는 남동생 한 명이 있다. 그의 이름은 Mike이다. 그녀는 그를 매우 사랑한다. Jane은 만화책을 좋아한다. 그녀는 그것들을 매일 읽는다. Jane과 Mike는 농구를 좋아한다. 그들은 그것을 함께 한다.

UNIT 05 인칭대명사 2

Point 1 소유격

Check Up 1
p.58

1 my
2 her
3 your
4 their
5 his
6 our

Check Up 2
p.59

1 her
2 Your
3 your
4 my
5 the boy's
6 her
7 His
8 Their
9 the girls'
10 Our

Point 2 소유대명사

Check Up 1
p.60

1 나의 것
2 너의 것, 너희들의 것
3 그의 것
4 그녀의 것
5 우리의 것
6 그들의 것, 그것들의 것

Check Up 2
p.61

1 mine
2 ours
3 Her
4 his
5 yours
6 theirs
7 Kevin's
8 Mom's
9 His
10 Its

TRAINING 1 문장 비교하기
p.62

1 my room, mine
2 his phone, his
3 their house, theirs
4 your pen, yours
5 His bike, Hers
6 Our bag, Yours
7 our cat, ours

TRAINING 2 사진 보고 문장 완성하기
p.63

1 mine
2 her
3 yours
4 Emily's
5 his
6 ours

TRAINING 3 틀린 문장 고쳐 쓰기
p.64

1 X, my
2 X, Jenny's
3 X, his
4 X, Their
5 X, yours
6 X, students'
7 O
8 X, Its

TRAINING 4 통문장 쓰기
p.65

1 The pencil / is / mine.
2 I / like / your bike.
3 Our English teacher / is / from Australia.
4 I / know / his phone number.
5 The car / is / hers.
6 Jina's hometown / is / Seoul.
7 She / remembers / the girl's voice.

서술형 WRITING
p.66

A 1 his 2 Their
B 1 Her 2 his
3 Mine, hers

해석

A 1 A 그의 이름은 Jake야. 그는 기타를 쳐.
B 그것은 Jake의 기타니?
A 응, 그것은 그의 기타야.
2 A 그들은 나의 친구들 Bill과 Mary야.
B 그들은 어디에서 왔니?
A 그들의 고향은 런던이야.

B 1 그 빨간 재킷은 Amy의 것이다. 그녀의 모자는 노란색이다.
2 그 파란 모자는 John의 것이다. 그 빨간 신발도 그의 것이다.
3 나의 배낭과 Jina의 배낭도 여기에 있다. 나의 것은 보라색이고 그녀의 것은 분홍색이다.

UNIT 06 지시대명사와 지시형용사

Point 1 지시대명사

Check Up 1
p. 68

1 이 사람
2 저것
3 이것들

Check Up 2
p. 69

1 This
2 That
3 These
4 These
5 This
6 Those
7 This
8 Those
9 That
10 That

Point 2 지시형용사

Check Up 1
p. 70

1 ball
2 child
3 boys
4 room
5 those
6 these

Check Up 2
p. 71

1 This
2 That
3 These
4 Those
5 These
6 students
7 picture
8 that
9 Those
10 notebooks

TRAINING 1 문장 비교하기
p. 72

1 These
2 These
3 Those
4 This, This computer
5 That, That museum
6 This movie, These movies
7 that song, those songs

TRAINING 2 그림 보고 문장 완성하기
p. 73

1 This
2 Those
3 This boy
4 Those girls
5 These flowers
6 That building

TRAINING 3 틀린 문장 고쳐 쓰기
p. 74

1 X, These
2 X, rooms
3 X, this
4 X, These
5 X, subjects
6 X, songs
7 O
8 X, Those

TRAINING 4 통문장 쓰기
p. 75

1 This / is / a popular song.
2 This / is / my best friend.
3 That / is / his backpack.
4 That star / is / beautiful.
5 Those buildings / are / old.
6 These questions / are / difficult.
7 This boy / plays / baseball / every day.

서술형 WRITING
p. 76

A 1 This, That
2 These, Those

B 1 This, That
2 This, That ice cream
3 These, Those
4 These, Those balloons

해석

A 1 이 컴퓨터는 새 것이다. 저 컴퓨터는 오래된 것이다.
2 이 꽃들은 빨간색이다. 저 꽃들은 노란색이다.

B 안녕, 나는 Emily야.
1 이것은 나의 아이스크림이야. 저것은 Tom의 아이스크림이야.
2 이 아이스크림은 커. 저 아이스크림은 작아.
3 이것들은 나의 풍선들이야. 저것들은 Tom의 풍선들이야.
4 이 풍선들은 노란색이야. 저 풍선들은 파란색이야.

UNIT 07 be동사 현재형 1

Point 1 be동사의 형태와 의미

Check Up 1
p.78

1 am
2 is
3 are
4 are
5 are
6 is

Check Up 2
p.79

1 am, ~이다
2 am, ~에 있다
3 is, ~이다
4 are, ~에 있다
5 are, ~이다
6 is, ~에 있다

Check Up 3
p.79

1 I'm
2 He's
3 It's
4 We're
5 You're
6 She's
7 They're

Point 2 여러 가지 주어와 be동사

Check Up 1
p.80

1 is
2 are
3 are
4 is
5 are

Check Up 2
p.81

1 These
2 That
3 Mom and Dad
4 The dog
5 Ted and his friend
6 This building

Check Up 3
p.81

1 is
2 are
3 are
4 is
5 are
6 are

TRAINING 1 문장 비교하기
p.82

1 is, are
2 is, are
3 is, are
4 is, are
5 am, are
6 is, are
7 is, are

TRAINING 2 사진 보고 문장 완성하기
p.83

1 are in the park
2 is on the table
3 are happy
4 is big
5 are from France
6 are busy

TRAINING 3 틀린 문장 고쳐 쓰기
p.84

1 X, are
2 X, are
3 X, are
4 X, is
5 X, are
6 O
7 X, It's
8 X, This is

TRAINING 4 통문장 쓰기
p.85

1 We / are / in the sixth grade.
2 Sam and Jina / are / my classmates.
3 This painting / is / famous.
4 Those boys / are / from Spain.
5 My brother / is / in the library.
6 These / are / popular games.
7 Love / is / important / for everyone.

서술형 WRITING
p.86

A 1 are
2 am
3 is

B ① are
② are
③ is
④ is
⑤ is

해석

B 이 사람들은 나의 이웃인 Green씨 부부이다. 그들은 호주에서 왔다. Mr. Green은 요리사이다. Ms. Green은 영어 선생님이다. 그들은 개를 가지고 있다. 그것은 귀엽다.

UNIT 08 be동사 현재형 2

Point 1 be동사의 부정문

Check Up 1 p. 88

1 am not
2 is not
3 are not
4 is not
5 are not

Check Up 2 p. 89

1 am not, is not
2 is not, are not
3 are not, is not
4 is not, are not
5 aren't, isn't
6 I'm not, aren't
7 isn't, aren't

Point 2 be동사의 의문문

Check Up 1 p. 90

1 Is
2 Are
3 Is
4 Are
5 Am
6 Is

Check Up 2 p. 91

1 Is he
2 Am I
3 Are you
4 Is it
5 Are we
6 Are they
7 Is she
8 Are

Check Up 3 p. 91

1 ⓑ
2 ⓓ
3 ⓐ
4 ⓒ

TRAINING 1 사진 보고 문장 완성하기 p. 92

1 isn't, is
2 aren't, are
3 isn't, is
4 Are, Yes, are
5 Is, Yes, is
6 Is, No, isn't

TRAINING 2 틀린 문장 고쳐 쓰기 p. 93

1 X, aren't
2 X, isn't
3 X, am not
4 X, Are
5 X, Are
6 X, Is
7 O
8 X, I am not / I'm not

TRAINING 3 문장 바꿔 쓰기 p. 94

1 She isn't a famous pianist.
2 They aren't fresh.
3 I'm not a good dancer.
4 Paul isn't in the music room.
5 Are you in the fifth grade?
6 Are they from Canada?
7 Is this your coat?

TRAINING 4 통문장 쓰기 p. 95

1 He / isn't / a famous actor.
2 They / aren't / in the library.
3 It / isn't / my textbook.
4 The room / isn't / clean.
5 Are / you / in the sixth grade?
6 Is / this / your umbrella?
7 Is / John / her brother?

서술형 **WRITING** p. 96

A 1 Are you, No, am not
2 Is she, Yes, is
3 Are they, Yes, are

B ① is not ② is not
③ is ④ are not

해석

A 1 A 너는 슬프니?
B 아니, 그렇지 않아.
2 A 그녀는 테니스 선수이니?
B 응, 그래.
3 A 그들은 도서관에 있니?
B 응, 그래.

B 이것은 나의 거실이다. 소파는 빨간색이 아니다. 고양이는 피아노 아래에 있지 않다. 피아노는 검은색이다. 창문들은 열려 있지 않다.

REVIEW TEST 2 (Units 4-8)

pp.97 ~ 98

1 ④ 2 ③ 3 ⑤ 4 ② 5 ② 6 ① 7 ③
8 ④ 9 him, His 10 These 11 Is, he
12 (1) They are not[aren't] soccer players.
(2) Are they soccer players?

1 해설 나머지는 모두 '주격 – 소유격'의 관계인데 ④는 '주격 – 목적격'의 관계이다.

2 • 우리는 매달 그를 방문한다.
• 나는 너의 드레스가 마음에 든다.
해설 ⓐ 누구를 방문하는지 말해야 하므로 he의 목적격인 him(그를)이 알맞다. ⓑ 누구의 드레스인지를 나타내므로 you의 소유격인 your(너의)가 알맞다.

3 ① Tom은 매일 나에게 전화한다.
② 그 파란 재킷은 Kate의 것이다.
③ 우리는 매일 배드민턴을 친다.
④ Lisa는 그녀의 여동생을 자주 돕는다.
⑤ 이 야구 글러브들은 그들의 것이다.
해설 ⑤ 뒤에 명사가 없으므로 소유대명사인 theirs가 알맞다.

4 해설 누구를 아는지 know의 목적어가 필요하므로 목적격 인칭대명사가 들어가야 한다. ② its는 소유격이므로 알맞지 않다.

5 ① 우리는 이 노래들을 부른다.
② 나는 저 잘생긴 소년을 좋아한다.
③ 이것은 Jina의 필통이다.
④ 저 빌딩들은 매우 높다.
⑤ 이 영화들은 매우 흥미롭다.
해설 this와 that은 이어지는 명사의 수에 따라 단수형 또는 복수형인 these나 those로 쓴다. ①은 these, ③은 This, ④는 Those, ⑤는 These가 각각 알맞다.

6 ① Jina와 나는 친구이다.
② 나의 고양이는 지금 소파 위에 있다.
③ 많은 아이들이 공원에 있다.
④ Tom과 그의 형은 다정하다.
⑤ 우리의 영어 선생님은 캐나다 출신이다.
해설 ① 주어가 and로 연결된 복수이므로 be동사는 are가 알맞다.

7 ① 우리는 반 친구이다.
② 그 소년들은 형제이다.
③ 우리 엄마는 매우 친절하시다.
④ 그 학생들은 스페인에서 왔다.
⑤ Emily와 Jina는 교실에 있다.
해설 나머지는 모두 주어가 복수이므로 be동사는 are가 알맞고 ③은 주어가 단수이므로 is가 알맞다.

8 • Sam은 의사가 아니다.
• 그녀는 중국에서 왔니?
해설 Sam이 3인칭 단수이므로 be동사의 부정문에는 is가 알맞고 she가 3인칭 단수이므로 be동사의 의문문에는 Is가 알맞다.

9 Tony Mars는 가수이다. 그는 유명하다. 많은 소녀들이 그를 좋아한다. 그의 노래들은 아름답다.
해설 첫 번째 빈칸에는 누구를 좋아하는지 나타내는 목적격이, 두 번째 빈칸에는 누구의 노래인지 나타내는 소유격이 알맞다.

10 이 아이들은 그들의 아들들이다.
해설 뒤에 복수 명사인 children이 왔으므로 This의 복수형인 These가 알맞다.

11 해설 주어인 Mr. Brown은 3인칭 단수이므로 be동사는 Is가 알맞고, Mr.는 남자를 나타내므로 대명사는 he가 알맞다.

12 그들은 축구선수들이다.
해설 (1) be동사의 부정문은 「be동사+not」이며, are not은 aren't로 줄여 쓸 수 있다. (2) be동사의 의문문은 「Be동사+주어 ~?」의 형태로 쓴다.

UNIT 09 일반동사 현재형 1

Point 1 일반동사의 쓰임과 형태 변화

Check Up 1 p. 100

1 like, 일반동사
2 sings, 일반동사
3 is, be동사
4 have, 일반동사
5 are, be동사

Check Up 2 p. 101

1 like, likes
2 swims, swim
3 watch, watches
4 plays, play
5 talks, talk
6 live, lives
7 learns, learn

Point 2 일반동사의 3인칭 단수형 만들기

Check Up 1 p. 102

1 goes
2 likes
3 studies
4 has
5 washes

Check Up 2 p. 103

1 likes
2 walks
3 drinks
4 reads
5 comes
6 cleans
7 washes
8 finishes
9 watches
10 teaches
11 passes
12 fixes
13 goes
14 does
15 cries
16 flies
17 tries
18 studies
19 has
20 plays

TRAINING 1 문장 비교하기 p. 104

1 drink, drinks
2 love, loves
3 washes, wash
4 go, goes
5 have, has
6 studies, study
7 need, needs

TRAINING 2 사진 보고 문장 완성하기 p. 105

1 He reads
2 We go
3 She swims
4 They play
5 Kevin studies
6 Koalas sleep

TRAINING 3 틀린 문장 고쳐 쓰기 p. 106

1 X, sings
2 X, like
3 X, does
4 X, wakes
5 X, love
6 X, studies
7 O
8 X, finishes

TRAINING 4 통문장 쓰기 p. 107

1 She / has / dinner / at 6.
2 He / likes / animals.
3 I / do / my homework / in the evening.
4 She / teaches / music / at school.
5 He / wants / a computer.
6 Ted / lives / in Seoul.
7 We / play / soccer / every day.

서술형 **WRITING** p. 108

A 1 loves
2 make
3 helps

B 1 goes to school
2 watches TV, does her homework
3 washes the dishes

해석

A 1 나의 이모는 수의사이다. 그녀는 동물을 사랑한다.
2 나의 부모님은 요리사이다. 그들은 맛있는 음식을 만드신다.
3 나의 삼촌은 경찰관이다. 그는 사람들을 돕는다.

B 1 아침에 Lucy는 학교에 간다.
2 오후에 그녀는 TV를 본다. 그녀는 숙제를 한다.
3 저녁에 그녀는 아빠를 돕는다. 그녀는 설거지를 한다.

UNIT 10 일반동사 현재형 2

Point 1 일반동사의 부정문

Check Up 1 p.110

1 do not
2 does not
3 doesn't
4 don't
5 read

Check Up 2 p.111

1 do not dance, don't dance
2 does not drink, doesn't drink
3 does not like, doesn't like
4 do not watch, don't watch
5 does not need, doesn't need
6 does not ride, doesn't ride
7 does not have, doesn't have
8 do not play, don't play

Point 2 일반동사의 의문문

Check Up 1 p.112

1 Do, do
2 Does, does
3 Do, don't
4 Does, does

Check Up 2 p.113

1 Do you swim
2 Does she like
3 Does he work
4 Do they do
5 Does, drive
6 Does, play
7 Does she fix
8 Does he live
9 Do we have
10 Do, study

TRAINING 1 사진 보고 문장 완성하기 p.114

1 don't have
2 doesn't ride
3 doesn't play
4 Does, study, doesn't
5 Do, swim, Yes, do
6 Does, clean, Yes, does

TRAINING 2 틀린 문장 고쳐 쓰기 p.115

1 X, doesn't
2 X, don't
3 X, Does
4 X, teach
5 O
6 X, Do
7 X, work
8 X, don't

TRAINING 3 문장 바꿔 쓰기 p.116

1 I don't watch TV after dinner.
2 They don't walk to school.
3 She doesn't like hamburgers.
4 He doesn't drink soda.
5 Does Amy swim well?
6 Do we have homework?
7 Do Paul and Lisa study together?

TRAINING 4 통문장 쓰기 p.117

1 She / doesn't have / a brother.
2 He / doesn't eat / onions.
3 I / don't watch / horror movies.
4 She / doesn't live / in London.
5 Do / they / like / music?
6 Does / he / ride / a bike?
7 Does / Emily / play / badminton?

서술형 **WRITING** p.118

A 1 Does, ride, she does
2 Does, have, he does
3 Do, play, they don't

B ① doesn't like
② doesn't get up
③ doesn't watch

해석

A 1 A Mary는 방과 후에 자전거를 타니?
B 응, 그래.
2 A Bill은 매일 아침을 먹니?
B 응, 그래.
3 A Sally와 Max는 매일 배드민턴을 치니?
B 아니, 그렇지 않아.

B Jane과 Tony는 나의 친구들이다. 그들은 매우 다르다. Jane은 수학을 좋아한다. Tony는 수학을 좋아하지 않는다. Jane은 아침에 일찍 일어나지 않는다. Tony는 아침에 일찍 일어난다. Tony는 매일 TV를 본다. Jane은 매일 TV를 보지 않는다.

UNIT 11 현재진행형 1

Point 1 현재진행형의 형태와 의미

Check Up 1
p. 120

1 going
2 eating
3 writing
4 studying
5 cutting
6 swimming
7 coming
8 lying

Check Up 2
p. 121

1 doing
2 eating
3 reading
4 playing
5 studying
6 listening
7 writing
8 baking
9 using
10 dancing
11 riding
12 moving
13 cutting
14 running
15 sitting
16 swimming
17 jogging
18 chatting
19 lying
20 dying

Point 2 현재시제와 현재진행형

Check Up 1
p. 122

1 현재진행형
2 현재진행형
3 현재시제
4 현재시제
5 현재진행형
6 현재진행형

Check Up 2
p. 123

1 am washing
2 is flying
3 sleeping
4 play
5 paints

Check Up 3
p. 123

1 ⓑ
2 ⓑ
3 ⓐ
4 ⓑ
5 ⓐ

TRAINING 1 문장 비교하기
p. 124

1 am cleaning
2 are watching
3 is taking
4 are going
5 am playing
6 is studying
7 is walking

TRAINING 2 사진 보고 문장 완성하기
p. 125

1 is riding
2 is flying
3 are playing
4 are drawing
5 is taking
6 are sitting

TRAINING 3 틀린 문장 고쳐 쓰기
p. 126

1 X, are
2 X, running
3 O
4 X, watching
5 X, swimming
6 X, crying
7 X, are
8 X, is washing

TRAINING 4 통문장 쓰기
p. 127

1 John / is studying / English / now.
2 The boys / are swimming / in the lake.
3 A man / is flying / a kite.
4 We / are baking / bread / now.
5 The cat / is sleeping / on the sofa.
6 Dad / is fixing / my bike.
7 They / are watching / a movie.

서술형 WRITING
p. 128

A 1 are swimming, swim
2 is helping, helps

B 1 is sleeping
2 is dancing
3 are writing
4 is coming

해석

A 1 그들은 지금 수영하고 있다.
그들은 월요일마다 수영한다.
2 나의 형은 지금 나를 돕고 있다.
그는 항상 나를 돕는다.

B 이것은 나의 교실이다. 한 소년은 잠을 자고 있다. 한 소년은 춤을 추고 있다. 두 소녀는 칠판에 무언가를 쓰고 있다. 얘들아! 선생님이 오고 계셔!

UNIT 12 현재진행형 2

Point 1 현재진행형의 부정문

Check Up 1
p. 130

1 am not
2 is not
3 are not
4 aren't
5 isn't
6 aren't

Check Up 2
p. 131

1 is not eating
2 am not brushing
3 is not sleeping
4 are not painting
5 are not taking
6 is not using
7 is not playing
8 is not snowing

Point 2 현재진행형의 의문문

Check Up 1
p. 132

1 Is
2 Are
3 Are
4 Is
5 running
6 crying
7 dancing
8 working

Check Up 2
p. 133

1 Is, swimming
2 Is, reading
3 Is, writing
4 Are, going
5 Are, singing
6 Is, playing

Check Up 3
p. 133

1 ⓑ
2 ⓐ
3 ⓑ
4 ⓑ

TRAINING 1 사진 보고 문장 완성하기
p. 134

1 is not crying, is smiling
2 is not sleeping, is doing
3 are not swimming, are making
4 Is, dancing, Yes
5 Are, running, aren't
6 Is, playing, is

TRAINING 2 틀린 문장 고쳐 쓰기
p. 135

1 X, Is
2 X, listening
3 X, Is
4 X, not playing
5 X, writing
6 X, are
7 O
8 X, he is

TRAINING 3 문장 바꿔 쓰기
p. 136

1 (부정문) He isn't playing the piano.
(의문문) Is he playing the piano?
2 (부정문) She isn't cooking pasta.
(의문문) Is she cooking pasta?
3 (부정문) You aren't doing your homework now.
(의문문) Are you doing your homework now?
4 (부정문) They aren't cleaning the living room.
(의문문) Are they cleaning the living room?
5 (부정문) He isn't writing a card now.
(의문문) Is he writing a card now?
6 (부정문) The boy isn't drawing a tree.
(의문문) Is the boy drawing a tree?

TRAINING 4 통문장 쓰기
p. 137

1 Is / he / playing / baseball?
2 The dog / isn't sleeping / now.
3 Is / she / reading / a book?
4 He / isn't riding / his bike.
5 Are / you / using / the computer / now?
6 We / aren't watching / TV.
7 I / am not studying / math / now.

서술형 WRITING
p. 138

A 1 is not[isn't] eating
2 are not[aren't] using

B 1 Is, washing, No
2 Is, making, isn't
3 Is, drinking

해석

A 1 그녀는 토마토를 먹고 있지 않다.
그녀는 오렌지를 먹고 있다.
2 그들은 컴퓨터를 사용하고 있지 않다.
그들은 스마트폰을 사용하고 있다.

B 1 A Amy의 엄마는 양파를 씻고 계시니?
B 아니, 그렇지 않아. 그녀는 양파를 썰고 계셔.
2 A Amy의 아빠는 샌드위치를 만들고 계시니?
B 아니, 그렇지 않아. 그는 스파게티를 요리하고 계셔.
3 A Amy는 주스를 마시고 있니?
B 응, 그래.

REVIEW TEST 3 (Units 9-12)

pp. 139~140

1 ⑤ 2 ③ 3 ② 4 ④ 5 ① 6 ⑤ 7 ④
8 ② 9 studies 10 Does, doesn't
11 washes, wash
12 (1) Ted is not[isn't] watching a movie now.
(2) Is Ted watching a movie now?

1 해설 ⑤ -sh로 끝나는 동사는 es를 붙여서 3인칭 단수형을 만드므로 finish – finishes가 맞다.

2 내 여동생은 새 스마트폰을 가지고 있다.
해설 has는 3인칭 단수형이므로 빈칸에는 3인칭 단수 주어인 ③ My sister가 알맞다.

3 ① 우리는 매일 저녁 TV를 본다.
② Ted와 Lisa는 학교에 걸어간다.
③ White 씨는 과학을 가르친다.
④ 그녀는 매일 아침 커피를 마신다.
⑤ 아빠는 아침에 신문을 읽으신다.
해설 ② 주어인 Ted and Lisa는 복수이므로 walk이 알맞다.

4 • 그녀는 액션 영화를 좋아하니?
• 그 학생들은 중국어를 배우지 않는다.
해설 ⓐ 주어가 3인칭 단수인 일반동사의 의문문은 「Does+주어+동사원형 ~?」이다. ⓑ 주어가 복수인 일반동사의 부정문은 「do not+동사원형」이다.

5 ① 그들은 런던에 사니?
② 그 수업은 9시에 시작하니?
③ Lisa는 토마토를 먹지 않는다.
④ Kevin은 축구를 잘하니?
⑤ 우리는 주말에 학교에 가지 않는다.
해설 일반동사의 부정문이나 의문문에서 주어가 3인칭 단수인 경우에는 does를 쓰고 나머지는 do를 쓴다. ② → Does the class start at 9? ③ don't → doesn't ④ plays → play ⑤ doesn't → don't

6 해설 ⑤ study의 -ing형은 studying이다.

7 A Amy는 지금 책을 읽고 있니?
B 응, 그래.
해설 문장 맨 앞에 be동사인 Is가 있으므로 현재진행형의 의문문이 알맞다. 현재진행형의 의문문은 「Be동사+주어+동사원형-ing ~?」이며, 긍정의 대답을 하고 있으므로 「Yes, 주어+be동사.」 형태로 쓴다.

8 ① Kate는 지금 피아노를 치고 있니?
② Sam과 John은 지금 공부하고 있지 않다.
③ 너는 숙제를 하고 있니?
④ Jina는 지금 방을 청소하고 있지 않다.
⑤ Tom과 나는 지금 TV를 보고 있지 않다.
해설 ② 주어인 Sam and John은 복수이므로 aren't studying이 알맞다.

9 해설 주어인 Lisa는 3인칭 단수이므로 studies가 알맞다.

10 A Paul은 한국어를 하니?
B 아니, 그렇지 않아.
해설 주어인 Paul은 3인칭 단수이므로 일반동사의 의문문은 「Does+주어+동사원형 ~?」이며, 부정의 대답을 하고 있으므로 「No, 주어+doesn't.」 형태로 쓴다.

11 해설 일반동사의 부정문은 not 뒤에 동사원형이 와야 한다.

12 Ted는 지금 영화를 보고 있다.
해설 (1) 현재진행형의 부정문은 「be동사+not+동사원형-ing」이며, is not은 isn't로 줄여 쓸 수 있다. (2) 현재진행형의 의문문은 「Be동사+주어+동사원형-ing ~?」이다.

UNIT 13 형용사

Point 1 형용사의 종류

Check Up 1 p. 142

big, old, blue, sweet, hungry, cloudy, hot, long, short, sad

Check Up 2 p. 143

1 친절한 2 느린 3 신선한
4 어린 5 비가 오는 6 빠른
7 따뜻한 8 작은 9 귀여운
10 화난

Check Up 3 p. 143

1 big 2 clean 3 cloudy
4 lazy 5 dirty 6 pretty
7 shy 8 sad 9 hungry
10 cold

Point 2 형용사의 역할

Check Up 1 p. 144

1 big 2 loud 3 cute
4 different 5 hungry 6 clean
7 cold 8 easy 9 expensive
10 black 11 tall 12 interesting

Check Up 2 p. 145

1 신선한, 신선하다 2 인기 있는, 인기 있다
3 달콤한, 달콤하다 4 빠른, 빠르다
5 오래된, 오래되었다 6 정직한, 정직하다
7 두꺼운, 두껍다 8 좋은, 좋다

Point 3 형용사의 위치

Check Up 1 p. 146

1 a kind girl 2 a cold drink
3 an old car 4 our new school
5 ten fresh apples 6 Their cute dog
7 my favorite singer

Check Up 2 p. 147

1 my white shirt 2 a high mountain
3 that expensive bike 4 the blue sea
5 these wide roads 6 your kind words
7 his new song
8 these three easy questions

TRAINING 1 문장 비교하기 p. 148

1 smart girl 2 famous artist
3 warm sweaters 4 is honest
5 is exciting 6 are popular
7 are expensive

TRAINING 2 사진 보고 문장 완성하기 p. 149

1 is old 2 are red 3 is short
4 is sunny 5 are dirty 6 are open

TRAINING 3 틀린 문장 고쳐 쓰기 p. 150

1 X, a long skirt 2 X, big
3 X, that old man 4 X, two strong men
5 O 6 X, The blue bike
7 X, my close friend 8 X, your new hairstyle

TRAINING 4 통문장 쓰기 p. 151

1 I / love / my new bike.
2 This / is / a famous book.
3 That big bag / is / mine.
4 He / wants / a fast car.
5 These rooms / are / dirty.
6 His new songs / are / popular.
7 These two movies / are / sad.

서술형 WRITING p. 152

A 1 My best friend, a good student
2 those two boys

B ① big ② red ③ small
④ long ⑤ short

해석

A 1 A 나의 가장 친한 친구는 Ann이야.
B 정말? 그녀는 좋은 학생이야.
2 A 저 두 소년을 봐.
B 와, 그들은 정말 키가 크다!

B 이 몬스터는 세 개의 (작은 → 큰) 눈을 가지고 있다. 그것은 한 개의 (검은 → 빨간) 코를 가지고 있다. 그것의 귀는 (크다 → 작다). 그것은 두 개의 (짧은 → 긴) 팔을 가지고 있다. 그것의 다리는 (길다 → 짧다).

UNIT 14 부사

Point 1 부사의 형태

Check Up 1 p. 154

1 친절하게 2 쉽게 3 바쁜
4 느리게 5 슬픈 6 well
7 fast 8 high 9 happily
10 late

Check Up 2 p. 155

1 sadly 2 kindly 3 slowly
4 honestly 5 carefully 6 loudly
7 happily 8 easily 9 well
10 luckily

Check Up 3 p. 155

1 early 2 high 3 fast
4 late 5 well

Point 2 부사의 역할

Check Up 1 p. 156

1 kind 2 hungry 3 sing
4 live 5 fast 6 slowly

Check Up 2 p. 157

1 very sweet 2 so beautiful 3 really nice
4 too heavy 5 very easily 6 really early

Check Up 3 p. 157

1 well 2 fast
3 high 4 very/really loudly
5 carefully 6 very/really

Point 3 빈도부사

Check Up 1 p. 158

1 ⓒ 2 ⓔ 3 ⓑ
4 ⓓ 5 ⓐ

Check Up 2 p. 159

1 often 2 usually 3 sometimes
4 never

Check Up 3 p. 159

1 ⓑ 2 ⓐ 3 ⓐ
4 ⓑ 5 ⓐ

TRAINING 1 사진 보고 문장 완성하기 p. 160

1 slowly 2 well 3 beautifully
4 fast 5 carefully 6 happily

TRAINING 2 문장 확장하기 p. 161

1 She studies very hard.
2 He dances very well.
3 That singer is really famous.
4 These jeans are too big.
5 Jenny sometimes reads books.
6 Kevin usually walks to school.
7 She is often late for school.

TRAINING 3 틀린 문장 고쳐 쓰기 p. 162

1 X, late 2 X, well 3 X, early
4 X, beautifully 5 X, happily 6 O
7 X, is always 8 X, often cleans

TRAINING 4 통문장 쓰기 p. 163

1 She / runs / fast.
2 They / study / quietly / in the library.
3 The chicken soup / is / really / delicious.
4 Airplanes / fly / very / high.
5 Kate / rides / her bike / carefully.
6 John / often / plays / mobile games.
7 The movie star / is / always / busy.

서술형 **WRITING** p. 164

B ① really ② slowly ③ carefully
④ happily

B 1 usually goes to bed 2 never drinks
3 often plays 4 is sometimes
5 always has

해석

A Brown 씨는 정말로 게으르다. 그는 매일 아침 늦게 일어난다. 그는 느리게 움직인다. 그는 아름다운 옷들을 좋아한다. 그는 그것들을 조심스럽게 고른다. 그는 그것들을 행복하게 입는다.

B 1 Ted는 주로 일찍 자러 간다.
2 그는 절대 탄산음료를 마시지 않는다.
3 그는 자주 스마트폰 게임을 한다.
4 그는 가끔 학교에 지각한다.
5 그는 항상 아침을 먹는다.

UNIT 15 수량을 나타내는 표현

Point 1 many, much, a lot of

Check Up 1 p.166

1 many
2 much
3 much
4 many
5 much
6 much
7 many
8 many
9 much
10 many
11 many
12 a lot of

Check Up 2 p.167

1 many eggs
2 many children
3 much water
4 many oranges
5 much salt
6 much money

Check Up 3 p.167

1 many
2 much
3 many
4 much, a lot of
5 Many, A lot of
6 much, a lot of
7 many, a lot of
8 much, a lot of

Point 2 some, any

Check Up 1 p.168

1 milk
2 eggs
3 trees
4 sugar
5 money
6 toys
7 bread
8 cheese

Check Up 2 p.169

1 some, any
2 some, any
3 some, any
4 some, any
5 some, any
6 some, any
7 some, any
8 some, any

TRAINING 1 문장 비교하기 p.170

1 many friends, much homework
2 many bags, much time
3 many apples, much bread
4 many pencils, much juice
5 some money, any money
6 some people, any people
7 some help, any help

TRAINING 2 사진 보고 문장 완성하기 p.171

1 any
2 much
3 much
4 many
5 many
6 any

TRAINING 3 틀린 문장 고쳐 쓰기 p.172

1 X, many/a lot of
2 X, some
3 X, many/a lot of
4 X, any
5 O
6 X, much/a lot of
7 X, help
8 X, many/a lot of

TRAINING 4 통문장 쓰기 p.173

1 She / reads / a lot of books.
2 I / don't have / much homework.
3 We / don't need / many eggs.
4 He / doesn't want / any money.
5 They / ask / many questions.
6 I / don't buy / much juice.
7 He / eats / some cheese / every day.

서술형 WRITING p.174

A 1 much/a lot of
2 many/a lot of
3 much/a lot of

B 1 some cookies, any juice
2 any bread, some oranges
3 some pizza, any sandwiches
4 any apples, some cake

해석

B 1 Kate는 쿠키를 좀 가지고 있다. 그녀는 주스가 조금도 없다.
2 John은 빵이 조금도 없다. 그는 오렌지를 좀 가지고 있다.
3 Tom은 피자를 좀 가지고 있다. 그는 샌드위치가 하나도 없다.
4 Jina는 사과가 하나도 없다. 그녀는 케이크를 좀 가지고 있다.

UNIT 16 There is / are

Point 1 There is/are의 형태와 의미

Check Up 1 p. 176

1 ⓑ 2 ⓑ 3 ⓑ

Check Up 2 p. 177

1 is 2 are
3 are 4 is
5 is 6 are

Check Up 3 p. 177

1 a pen 2 some paper
3 a man 4 some sugar
5 many books 6 ice
7 two parks

Point 2 There is/are의 부정문과 의문문

Check Up 1 p. 178

1 ⓑ 2 ⓑ
3 ⓑ 4 ⓑ

Check Up 2 p. 179

1 isn't, aren't 2 isn't, aren't
3 isn't, aren't 4 Is, Are
5 Is, Are 6 Is, Are
7 isn't, aren't 8 Is, Are

TRAINING 1 문장 바꿔 쓰기 p. 180

1 are boys 2 There are, bags
3 There isn't 4 There isn't
5 There isn't 6 Are there
7 Is there

TRAINING 2 사진 보고 문장 완성하기 p. 181

1 There are, apples
2 There is, book
3 There is water
4 Is there
5 Is there
6 Are there

TRAINING 3 틀린 문장 고쳐 쓰기 p. 182

1 X, Is 2 X, Are
3 X, Is 4 X, is
5 O 6 X, aren't
7 X, Are 8 X, isn't

TRAINING 4 통문장 쓰기 p. 183

1 There is / a cat / under the tree.
2 There are / two desks / in my room.
3 There is / some butter / on the table.
4 Are there / any students / in the classroom?
5 Is there / any bread / in the kitchen?
6 There aren't / any kids / outside.
7 There isn't / any money / in my pocket.

서술형 WRITING p. 184

A 1 Is there, there is
2 Are there, there aren't

B 1 There is a playground
2 There are three kids
3 There are two swings
4 There is a slide

해석

A 1 A 탁자 위에 지갑이 있니?
B 응, 있어.
2 A 교실에 학생들이 좀 있니?
B 아니, 없어.

B 이것은 나의 학교이다.
1 나의 학교에는 운동장이 있다.
2 운동장에 아이 세 명이 있다.
3 운동장에 그네 두 개가 있다.
4 운동장에 미끄럼틀 한 개가 있다.

REVIEW TEST 4 (Units 13-16)

pp. 185 ~ 186

1 ④ **2** ③ **3** ⑤ **4** ② **5** ① **6** ③ **7** ⑤
8 ② **9** Those cute puppies
10 My mom always gets up early in the morning.
11 There are
12 (1) There is not[isn't] a library in this town.
(2) Is there a library in this town?

1 해설 나머지는 모두 형용사이고 ④ quickly는 부사이다.

2 해설 ③ fast는 형용사와 부사의 형태가 같다.

3 ① 나는 오래된 자전거를 가지고 있다.
② 저 파란 가방은 나의 것이다.
③ 이것이 Amy의 새 시계니?
④ Jane Baker는 내가 가장 좋아하는 가수다.
⑤ 두 키 큰 소년들이 농구를 하고 있다.
해설 수를 나타내는 표현은 형용사 앞에 온다.
⑤ → Two tall boys

4 Emily는 절대 회의에 늦지 않는다.
해설 빈도부사는 be동사의 뒤, 일반동사의 앞에 온다.

5 해설 a lot of 뒤에는 셀 수 있는 명사의 복수형과 셀 수 없는 명사가 모두 올 수 있다. ① chair는 셀 수 있는 명사이지만 단수형이므로 알맞지 않다.

6 ① 나는 시간이 많이 있다.
② 그는 차를 많이 마신다.
③ 그들은 책을 많이 읽는다.
④ 그녀는 질문을 많이 한다.
⑤ 많은 소년들이 여기에서 수영하고 있다.
해설 many 뒤에는 셀 수 있는 명사의 복수형이, much 뒤에는 셀 수 없는 명사가 온다. ① → much ② → much ④ → many ⑤ → Many

7 냉장고에 당근 두 개가 있다.
해설 There are 뒤에는 셀 수 있는 명사의 복수형이 온다.

8 ① 소파 위에 고양이가 있다.
② 책상 위에 책들이 좀 있니?
③ 상자 안에 축구공 한 개가 있니?
④ 병에 물이 많이 없다.
⑤ 잔에 오렌지 주스가 좀 있다.
해설 ② there 뒤에 복수 명사인 books가 있으므로 빈칸에는 are가 알맞다. 나머지는 모두 단수인 is가 알맞다.

9 해설 「지시형용사(those)+형용사(cute)+명사(puppies)」의 순서로 쓴다.

10 우리 엄마는 아침에 일찍 일어나신다.
해설 always는 빈도부사이므로 일반동사인 gets 앞에 쓴다.

11 바구니에 사과 한 개가 있다.
→ 바구니에 사과 다섯 개가 있다.
해설 단수인 an apple을 복수인 five apples로 바꿨으므로 빈칸에는 There are가 알맞다.

12 이 도시에는 도서관이 한 개 있다.
해설 (1) There is의 부정문은 「There is not+주어 ~.」이며, is not은 isn't로 줄여 쓸 수 있다. (2) There is의 의문문은 「Is there+주어 ~?」이다.

WORKBOOK ANSWERS

UNIT 01 셀 수 있는 명사

pp.2~3

Point Review

- 명사
- 복수

A 1 의자, chairs 2 감자, potatoes
3 이야기, stories 4 양, sheep
5 발, feet 6 벤치, benches
7 나뭇잎, leaves 8 장난감, toys
9 남자, men 10 피아노, pianos

B 1 pencil 2 boxes
3 deer 4 boy
5 children 6 eggs
7 glasses 8 books

C 1 teeth 2 feet
3 fish 4 tomatoes
5 knives 6 buses
7 cities 8 movies

D 1 dresses 2 wolves
3 mouse 4 brushes
5 puppies 6 babies
7 women 8 scissors

UNIT 02 셀 수 없는 명사

pp.4~5

Point Review

- 물질명사
- a, an, 복수형

A 1 love, 사랑 2 water, 물
3 health, 건강 4 peace, 평화
5 Sunday, 일요일 6 Korea, 한국
7 bread, 빵 8 sugar, 설탕

B 1 Water 2 salt
3 love 4 slice
5 bottles 6 glasses, water

C 1 peace 2 cheese
3 Busan 4 health
5 water 6 piece
7 bread

D 1 piece of paper 2 bottles of water
3 slices of bread 4 cups of tea
5 bowl of soup

UNIT 03 관사

pp.6~7

Point Review

- a, an
- the

A 1 the cat 2 an orange
3 a pencil 4 the ball
5 an elephant 6 the books

B 1 A 2 the
3 a 4 X
5 the 6 X
7 X 8 the

C 1 X 2 The
3 the 4 X
5 X 6 X
7 The 8 The

D 1 an umbrella 2 dinner
3 The sun 4 O
5 math 6 O
7 The watch 8 baseball

UNIT 04 인칭대명사 1

pp.8~9

Point Review

- 주격
- 목적격

A 1 I, me 2 you, you
3 she, her 4 we, us
5 they, them 6 it, it

B 1 She 2 them
3 We 4 her
5 us 6 They
7 me

C 1 She 2 him
3 We 4 He
5 They 6 them
7 us 8 them

D 1 They 2 him
3 O 4 She
5 You 6 them
7 O 8 We

UNIT 05 인칭대명사 2

pp.10~11

Point Review

- ~의
- ~의 것

A 1 your, yours 2 my, mine
3 his, his 4 her, hers
5 our, ours 6 their, theirs

B 1 mine 2 her
3 their 4 girl's
5 Its 6 My
7 Our

C 1 his 2 hers
3 yours 4 Their
5 Her 6 our
7 Mine 8 Amy's

D 1 Tom's 2 hers
3 Mary's 4 girl's
5 Your 6 Its
7 his 8 My

UNIT 06 지시대명사와 지시형용사

pp.12~13

Point Review

- this, these
- that, those

A 1 that 2 this
3 these 4 those
5 this 6 that
7 these 8 those
9 that 10 this
11 this 12 those

B 1 This 2 That
3 Those 4 book
5 These 6 Those
7 These

C 1 These 2 That
3 These 4 bike
5 This 6 these
7 boys 8 Those

D 1 This, father 2 These, books
3 That, house 4 Those, buildings
5 this museum 6 that backpack
7 these flowers 8 Those boys

UNIT 07 be동사 현재형 1

pp.14~15

Point Review

- am, are, is
- are

A 1 ~이다 2 ~에 있다 3 ~에 있다 4 ~이다 5 ~이다 6 ~에 있다 7 ~에 있다

B 1 are 2 am 3 is 4 are 5 is 6 are 7 are

C 1 We 2 Emily 3 Dogs 4 That tree 5 Jina's parents 6 I 7 The toy 8 The man

D 1 He's in the library.
2 You're smart.
3 She's my cousin.
4 I'm from Korea.
5 We're friends.
6 They're actors.
7 It's cute.
8 That's my watch.

UNIT 08 be동사 현재형 2

pp.16~17

Point Review

- not
- 앞

A 1 is not 2 are not 3 am not 4 is not 5 Is, isn't 6 Are, I

B 1 am not 2 is not[isn't] 3 are 4 aren't[are not] 5 Is 6 Is the boy 7 they 8 isn't

C 1 It isn't 2 You aren't 3 John isn't 4 They aren't 5 She isn't 6 These aren't 7 He isn't 8 They aren't

D 1 Are you 2 Is she 3 Is Jenny 4 Is Sam 5 Is this 6 Are they 7 Is he 8 Are they

UNIT 09 일반동사 현재형 1

pp.18~19

Point Review

- -s
- -es
- -ies

A 1 walks 2 likes 3 washes 4 goes 5 studies 6 comes 7 sings 8 teaches 9 flies 10 has

B 1 like 2 has 3 eats 4 teaches 5 study 6 goes 7 washes 8 know

C 1 runs 2 fixes 3 lives 4 goes 5 sings 6 cries 7 watches 8 plays

D 1 wants 2 love 3 starts 4 has 5 studies 6 go 7 does 8 washes

UNIT 10 일반동사 현재형 2

pp.20~21

Point Review

- not
- Do, Does

A
1 does
2 do
3 doesn't
4 don't
5 Does, does
6 Do, do
7 Do, don't

B
1 Does
2 swim
3 doesn't
4 don't
5 don't
6 Do
7 do

C
1 doesn't do
2 don't go
3 doesn't drink
4 don't want
5 doesn't listen
6 don't have
7 don't play
8 doesn't ride

D
1 Does Amy like
2 Does he teach
3 Do you have
4 Does, want
5 Do, play
6 Does, know
7 Do, speak
8 Do they buy

UNIT 11 현재진행형 1

pp.22~23

Point Review

- ~하는 중이다

A
1 cleaning
2 playing
3 riding
4 cutting
5 swimming
6 going
7 studying
8 making
9 running
10 lying

B
1 is crying
2 is cooking
3 am riding
4 are building
5 is reading
6 are flying
7 is watching
8 are sitting

C
1 are
2 is
3 drinking
4 is
5 cleaning
6 running
7 playing

D
1 is taking
2 are eating
3 is cutting
4 is studying
5 am sending
6 are swimming
7 is sleeping
8 are washing

UNIT 12 현재진행형 2

pp.24~25

Point Review

- not
- 주어

A
1 is not
2 isn't
3 am not
4 are not
5 Is
6 Are
7 Is

B
1 riding
2 am
3 isn't
4 Are
5 playing
6 Is
7 making

C
1 isn't raining
2 isn't dancing
3 aren't helping
4 aren't working
5 isn't going
6 isn't washing
7 isn't playing
8 aren't listening

D
1 Is, crying
2 Is, wearing
3 Are, singing
4 Is, fixing
5 Are, baking
6 Are, studying
7 Is, brushing
8 Is, doing

UNIT 13 형용사

pp.26~27

Point Review

- 형용사
- 앞, 뒤

A 1 tall, 키가 큰 2 long, 긴
3 expensive, 비싼 4 fresh, 신선한
5 slow, 느린 6 cute, 귀여운
7 blue, 파란

B 1 her new 2 a cheap
3 that pretty 4 This old hat
5 a short tail 6 his new bike
7 a wonderful voice

C 1 빠른, 빠르다 2 신선한, 신선하다
3 슬픈, 슬프다 4 정직한, 정직하다

D 1 a famous scientist
2 our new school
3 these white shoes
4 This dirty room
5 her cute cats
6 that small backpack

UNIT 14 부사

pp.28~29

Point Review

- 부사
- 뒤, 앞

A 1 slowly, 느리게 2 sadly, 슬프게
3 쉬운, easily 4 happily, 행복하게
5 친절한, kindly 6 fast, 빠르게
7 well, 잘

B 1 well 2 really
3 good 4 slowly
5 careful 6 loudly
7 beautifully

C 1 carefully 2 loudly
3 easily 4 well
5 high 6 happily
7 quietly 8 fast

D 1 often play the piano
2 usually walks to school
3 never wears a skirt
4 am always busy on weekends
5 sometimes goes to work by bus

UNIT 15 수량을 나타내는 표현

pp.30~31

Point Review

- many, a lot of, much, a lot of
- some, any

A 1 toys, dogs 2 water, bread
3 cups, coffee 4 many, a lot of
5 much, a lot of 6 much, a lot of

B 1 some, any 2 some, any
3 some, any 4 some, any
5 some, any

C 1 oranges 2 O
3 much/a lot of 4 many/a lot of
5 snow 6 O

D 1 don't have much homework today
2 reads many books
3 puts some honey in the milk
4 doesn't have any pencils
5 buys a lot of eggs every week

UNIT 16 There is/are

pp.32~33

Point Review

- ~이 있다
- 단수, 복수

A
1 is
2 is
3 are
4 is
5 are
6 is
7 are

B
1 a pond
2 a phone
3 two chairs
4 many books
5 umbrellas
6 a teacher
7 a window

C
1 is
2 are
3 isn't
4 is
5 Is
6 apples
7 bank
8 Is

D
1 고양이가 있다
2 물이 있다
3 물고기가 많이 있다
4 종이가 많이 있다
5 비행기가 있다
6 꽃들이 있다
7 벤치가 있다
8 원숭이들이 있다

MEMO

동아출판 영어 교재 가이드

영역	브랜드	초1~2	초3~4	초5~6	중1	중2	중3	고1	고2	고3
문법	[초·중등] 개념서 그래머 클리어 스타터 중학 영문법 클리어		Grammar CLEAR Starter 1	Grammar CLEAR Starter 2	중학 영문법 클리어 1	중학 영문법 클리어 2	중학 영문법 클리어 3			
	[중등] 문법 문제서 그래머 클라우드 3000제				그래머 클라우드 3000제 1	그래머 클라우드 3000제 2	그래머 클라우드 3000제 3			
	[중등] 실전 문제서 빠르게 통하는 영문법 핵심 1200제				빠르게 통하는 영문법 1200 1	빠르게 통하는 영문법 1200 2	빠르게 통하는 영문법 1200 3			
	[중등] 서술형 영문법 서술형에 더 강해지는 중학 영문법 [고등] 시험 영문법 시험에 더 강해지는 고등 영문법				서술형에 더 강해지는 중학 영문법 1	서술형에 더 강해지는 중학 영문법 2	서술형에 더 강해지는 중학 영문법 3	시험에 더 강해지는 고등영문법		
	[고등] 개념서 Supreme 고등 영문법							Supreme 고등영문법		
어법	[고등] 기본서 Supreme 수능 어법 기본 실전							Supreme 수능 어법 기본	Supreme 수능 어법 실전	
쓰기	[중등] 영작 집중 훈련서 중학 문법+쓰기 클리어				영작과 서술형을 한번에 끝내는 중학 문법·쓰기 클리어 1	영작과 서술형을 한번에 끝내는 중학 문법·쓰기 클리어 2	영작과 서술형을 한번에 끝내는 중학 문법·쓰기 클리어 3			
기출	[중등] 기출예상문제집 특급기출 (중간, 기말) 윤정미, 이병민					특급기출 중학 영어 2-2	특급기출 중학 영어 3-2			

Grammar CLEAR Starter 1

WORKBOOK

UNIT 01

셀 수 있는 명사

Point Review

- 사람이나 사물의 이름을 나타내는 말: (　　　　　)
- 셀 수 있는 명사의 수가 둘 이상임을 나타내는 말은?: (단수 / 복수)

A 주어진 명사의 우리말 뜻과 복수형을 쓰세요.

	명사	뜻	복수형		명사	뜻	복수형
1	chair	의자	chairs	6	bench		
2	potato			7	leaf		
3	story			8	toy		
4	sheep			9	man		
5	foot			10	piano		

B 괄호 안에서 알맞은 것을 고르세요.

1 I have a (pencil / pencils).

2 They need four (boxs / boxes).

3 Three (deer / deers) live here.

4 A (boys / boy) is in the room.

5 They have three (childs / children).

6 I eat two (eggs / egges) every day.

7 My brother wears (glass / glasses).

8 We read two (book / books) every month.

공부한 날: _____월 _____일

Answers p.22

C 주어진 명사를 빈칸에 알맞은 형태로 써서 문장을 완성하세요.

1 The baby has six ___teeth___. (tooth)

2 This monster has five __________. (foot)

3 The story is about two __________. (fish)

4 She needs five __________. (tomato)

5 Five __________ are on the table. (knife)

6 We see ten __________ on the road. (bus)

7 Mom goes to three __________ every year. (city)

8 Tom watches two __________ every month. (movie)

D 밑줄 친 부분을 바르게 고쳐 쓰세요.

1 Sally has five dress. → ___dresses___

2 Let's draw two wolfs. → __________

3 A mice is in the box. → __________

4 I have three hair brushs. → __________

5 His puppys are very cute. → __________

6 Two babys are on the bed. → __________

7 The womans are my aunts. → __________

8 My scissor are on the desk. → __________

UNIT

02 셀 수 없는 명사

Point Review

- 셀 수 없는 명사의 종류: 고유명사, (   ), 추상명사
- 셀 수 없는 명사는 앞에 부정관사 (   )나 (   )을 붙일 수 없고, (단수형 / 복수형)을 만들 수 없다.

A 보기 에서 셀 수 없는 명사를 골라 쓰고, 우리말 뜻을 쓰세요.

보기

~~love~~	water	pencil	health
peace	Sunday	Korea	bread
table	window	sugar	desk

셀 수 없는 명사	뜻
love	사랑

셀 수 없는 명사	뜻

B 괄호 안에서 알맞은 것을 고르세요.

1 (A water / Water) is important for us.

2 She wants (salt / salts) in her soup.

3 They have (love / loves) for their children.

4 We need a (slice / slices) of cheese.

5 They want two (bottle / bottles) of juice.

6 He drinks two (glass / glasses) of (water / waters) in the morning.

Answers p.22

C 밑줄 친 부분을 바르게 고쳐 쓰세요.

1 We want peaces. → peace

2 I have three slices of cheeses. → ____________

3 We go to a Busan every summer. → ____________

4 Swimming is good for our healths. → ____________

5 I want an egg sandwich and a water. → ____________

6 He eats a pieces of cake after lunch. → ____________

7 The baker makes fresh breads every day. → ____________

D 우리말에 맞게 주어진 단어를 이용하여 문장을 완성하세요.

1 나는 종이 한 장이 있다. (piece, paper)
→ I have a piece of paper.

2 그녀는 물 두 병이 필요하다. (bottle, water)
→ She needs two ____________ ____________ ____________.

3 나는 빵 두 조각이 필요하다. (slice, bread)
→ I need two ____________ ____________ ____________.

4 그들은 매일 차 세 잔을 마신다. (cup, tea)
→ They drink three ____________ ____________ ____________ every day.

5 그는 아침에 수프 한 그릇을 먹는다. (bowl, soup)
→ He eats a ____________ ____________ ____________ in the morning.

UNIT
03 관사

Point Review

- 정해지지 않은 셀 수 있는 단수 명사 앞에 쓰는 말: 부정관사 (   ) 또는 (   )
- 앞에 나온 명사를 다시 말할 때 쓰는 말: 정관사 (   )

A 우리말에 맞는 표현을 고르세요.

1 그 고양이 ☐ a cat ☑ the cat

2 오렌지 한 개 ☐ a orange ☐ an orange

3 연필 한 자루 ☐ a pencil ☐ the pencil

4 그 공 ☐ a ball ☐ the ball

5 코끼리 한 마리 ☐ a elephant ☐ an elephant

6 그 책들 ☐ the book ☐ the books

B 우리말에 맞게 빈칸에 알맞은 관사(a/an/the)를 쓰세요. 필요 없는 곳에는 X 표를 하세요.

1 어떤 선생님이 여기 있다. → ___A___ teacher is here.

2 나는 그 소년을 안다. → I know ______ boy.

3 그는 자전거 한 대를 원한다. → He wants ______ bike.

4 그녀는 매일 아침을 먹는다. → She has ______ breakfast every day.

5 나는 하늘에 있는 별들을 본다. → I see stars in ______ sky.

6 우리는 방과 후에 축구를 한다. → We play ______ soccer after school.

7 그들은 학교에서 영어를 배운다. → They learn ______ English at school.

8 Lisa는 매주 토요일에 피아노를 친다. → Lisa plays ______ piano every Saturday.

Answers p.22

C 빈칸에 정관사가 필요하면 the를 쓰고, 필요 없으면 X 표를 하세요.

1 We live in ___X___ Seoul.

2 ________ moon is bright tonight.

3 She plays ________ violin well.

4 Mr. Jones speaks ________ Korean well.

5 My favorite subject is ________ science.

6 They play ________ soccer on the playground.

7 I have a computer. ________ computer is fast.

8 She has three puppies. ________ puppies are cute.

D 밑줄 친 부분이 맞으면 O 표를 하고, 틀리면 바르게 고쳐 쓰세요.

1 Amy has a umbrella. → an umbrella

2 Sam has a dinner at 7. → ________

3 Sun rises in the east. → ________

4 I play the guitar in a band. → ________

5 My father teaches the math. → ________

6 She studies English every day. → ________

7 He has a watch. Watch is white. → ________

8 We play the baseball after school. → ________

U N I T

04 인칭대명사 1

- 주어로 쓰인 명사를 대신하는 말: (   ) 인칭대명사
- 목적어로 쓰인 명사를 대신하는 말: (   ) 인칭대명사

A 우리말에 맞게 빈칸에 알맞은 인칭대명사를 쓰세요.

	주격			목적격		
1	나는	→	I	나를	→	me
2	너는	→	________	너를	→	________
3	그녀는	→	________	그녀를	→	________
4	우리는	→	________	우리를	→	________
5	그들은	→	________	그들을	→	________
6	그것은	→	________	그것을	→	________

B 우리말에 맞게 빈칸에 알맞은 인칭대명사를 쓰세요.

1. **그녀는** 가수이다. → She is a singer.
2. 나는 **그들을** 사랑한다. → I love ________.
3. **우리는** 뉴욕에서 산다. → ________ live in New York.
4. Kevin은 **그녀를** 잘 안다. → Kevin knows ________ well.
5. 그들은 매년 **우리를** 초대한다. → They invite ________ every year.
6. **그것들은** 매우 달콤하다. → ________ are very sweet.
7. 엄마는 항상 **나를** 도와주신다. → Mom always helps ________.

공부한 날: _____월 _____일

Answers p.23

C 밑줄 친 부분을 알맞은 인칭대명사로 바꿔 문장을 완성하세요.

1 The girl goes to school. → She goes to school.

2 They need Mr. Smith. → They need ____________.

3 She and I are sisters. → ____________ are sisters.

4 My brother is hungry. → ____________ is hungry.

5 The children like pizza. → ____________ like pizza.

6 I often visit my grandparents. → I often visit ____________.

7 The book is for you and me. → The book is for ____________.

8 He makes sandwiches every day. → He makes ____________ every day.

D 다음 문장에서 표시된 부분을 인칭대명사로 바르게 바꿨으면 O 표를 하고, 틀리면 바르게 고쳐 쓰세요.

1 Sam has **two cats.** Them are cute. → They

2 I love **my uncle**. I call he every day. → ____________

3 He has **a bike**. He rides it every day. → ____________

4 **Mom** likes swimming. He often goes swimming. → ____________

5 **You and Ted** are friends. They are good students. → ____________

6 Dad makes **cookies.** He makes it for us. → ____________

7 They are **his shoes.** He wears them every day. → ____________

8 **Lisa and I** are thirsty. They want some water. → ____________

U N I T

05 인칭대명사 2

Point Review

- 소유격: '(   )'라는 뜻으로 소유격 뒤에는 명사가 온다.
- 소유대명사: '(   )'이라는 뜻으로 소유대명사 뒤에는 명사가 오지 않는다.

A 우리말에 맞게 알맞은 인칭대명사를 쓰세요.

	소유격				소유대명사		
1	너의 의자	→	your	chair	너의 것	→	yours
2	나의 책	→	________	book	나의 것	→	________
3	그의 연필	→	________	pencil	그의 것	→	________
4	그녀의 사진	→	________	photo	그녀의 것	→	________
5	우리의 학교	→	________	school	우리의 것	→	________
6	그들의 자동차	→	________	car	그들의 것	→	________

B 괄호 안에서 알맞은 것을 고르세요.

1 The book is (my / mine).

2 This is (her / hers) computer.

3 The boy is (their / theirs) son.

4 I know the (girl / girl's) name.

5 She has a dog. (Its / It's) legs are short.

6 (My / Mine) sister is an elementary school student.

7 (Our / Ours) classroom is on the second floor.

Answers p.23

C 주어진 단어를 알맞은 형태로 고쳐 문장을 완성하세요.

1 I know ___his___ brother. (he) 나는 **그의** 형을 안다.

2 The watch is ________. (she) 그 시계는 **그녀의 것**이다.

3 The new bike is ________. (you) 그 새 자전거는 **너의 것**이다.

4 ________ garden is beautiful. (They) **그들의** 정원은 아름답다.

5 ________ hometown is London. (She) **그녀의** 고향은 런던이다.

6 He is ________ math teacher. (we) 그는 **우리의** 수학 선생님이시다.

7 Her cap is red. ________ is blue. (I) 그녀의 모자는 빨간색이다. **나의 것**은 파란색이다.

8 ________ father is a cook. (Amy) **Amy의** 아버지는 요리사이시다.

D 밑줄 친 부분을 알맞은 소유격이나 소유대명사로 고쳐 쓰세요.

1 This is Tom bike. 이것은 **Tom의** 자전거이다. → ___Tom's___

2 The umbrella is her. 그 우산은 **그녀의 것**이다. → ________

3 That is Mary violin. 저것은 **Mary의** 바이올린이다. → ________

4 This bag is the girl. 이 가방은 **그 소녀의 것**이다. → ________

5 You book is on the desk. **너의** 책은 책상 위에 있다. → ________

6 I have a cat. It tail is long. 나는 고양이가 있다. **그것의** 꼬리는 길다. → ________

7 I often forget him birthday. 나는 자주 **그의** 생일을 잊어버린다. → ________

8 Mine brother is ten years old. **내** 남동생은 10살이다. → ________

UNIT

06 지시대명사와 지시형용사

Point Review

- 가까이 있는 것을 가리킬 때: 단수형 ( ), 복수형 ( )
- 멀리 있는 것을 가리킬 때: 단수형 ( ), 복수형 ( )

A 우리말에 맞게 보기 에서 알맞은 말을 골라 빈칸에 쓰세요. (한 단어를 여러 번 사용 가능)

보기 this that these those

1 저것 → that
2 이것 → ______
3 이것들 → ______
4 저것들 → ______
5 이 건물 → ______ building
6 저 사과 → ______ apple
7 이 모자들 → ______ caps
8 저 가방들 → ______ bags
9 저 연필 → ______ pencil
10 이 피아노 → ______ piano
11 이 아이 → ______ child
12 저 고양이들 → ______ cats

B 괄호 안에서 알맞은 것을 고르세요.

1 (This / These) is my friend.

2 (That / Those) is her toy.

3 (That / Those) dogs are cute.

4 That (book / books) is interesting.

5 (This / These) shoes are expensive.

6 (That / Those) are famous paintings.

7 (This / These) are his favorite songs.

Answers p.23

C 밑줄 친 부분을 알맞은 단수형이나 복수형으로 고쳐 쓰세요.

1 This are her friends. → These
2 Those is my pencil case. → ______
3 This are my favorite books. → ______
4 She likes this bikes. → ______
5 These question is easy. → ______
6 I often wear this pants. → ______
7 These boy are my cousins. → ______
8 That monkeys are from Africa. → ______

D 우리말에 맞게 주어진 단어를 이용하여 문장을 완성하세요.

1 이분은 그의 아버지이시다. (father) → This is his father.
2 이것들은 나의 책들이다. (book) → ______ are my ______.
3 저것은 Kate의 집이다. (house) → ______ is Kate's ______.
4 저것들은 새 건물들이다. (building) → ______ are new ______.
5 그는 이 박물관에서 일한다. (museum) → He works in ______ ______.
6 그녀는 저 배낭을 원한다. (backpack) → She wants ______ ______.
7 나는 이 꽃들이 필요하다. (flower) → I need ______ ______.
8 저 소년들은 농구를 좋아한다. (boy) → ______ ______ like basketball.

U N I T

07 be동사 현재형 1

Point Review

- 주어가 단수일 때 be동사: 1인칭 (　　　　), 2인칭 (　　　　), 3인칭 (　　　　)
- 주어가 복수일 때 be동사: (　　　　)

A 밑줄 친 be동사의 의미를 고르세요.

1 Lisa is my sister. ☑ ~이다 ☐ ~에 있다

2 I am in the kitchen. ☐ ~이다 ☐ ~에 있다

3 The cat is on the sofa. ☐ ~이다 ☐ ~에 있다

4 Mr. Brown is a teacher. ☐ ~이다 ☐ ~에 있다

5 You are my best friend. ☐ ~이다 ☐ ~에 있다

6 The carrots are in the refrigerator. ☐ ~이다 ☐ ~에 있다

7 Emily and Tony are in the classroom. ☐ ~이다 ☐ ~에 있다

B 주어에 알맞은 형태의 be동사를 써서 문장을 완성하세요.

1 You ___are___ good boys.

2 I __________ busy today.

3 She __________ from France.

4 His books __________ on the desk.

5 My brother __________ in the library now.

6 They __________ middle school students.

7 The children __________ in the swimming pool.

Answers p.24

C be동사에 주의하여 괄호 안에서 알맞은 주어를 고르세요.

1 (I / We) are at the park.

2 (Emily / You) is my classmate.

3 (Dogs / A cat) are in the house.

4 (Those trees / That tree) is tall.

5 (Jina / Jina's parents) are farmers.

6 (I / John and I) am late for school.

7 (The toys / The toy) is on the table.

8 (They / The man) is their math teacher.

D 밑줄 친 부분을 줄임말로 바꿔 문장을 다시 쓰세요.

1 He is in the library. → He's in the library.

2 You are smart. → ____________

3 She is my cousin. → ____________

4 I am from Korea. → ____________

5 We are friends. → ____________

6 They are actors. → ____________

7 It is cute. → ____________

8 That is my watch. → ____________

UNIT

08 be동사 현재형 2

- be동사의 부정문: be동사 뒤에 ( )을 써서 나타낸다.
- be동사의 의문문: be동사를 주어 (앞 / 뒤)에 쓰고 문장 끝에 물음표(?)를 붙여서 나타낸다.

A 괄호 안에서 알맞은 것을 고르세요.

1 Jina (is not / are not) busy now.

2 You (am not / are not) a student.

3 I (am not / are not) in the book club.

4 He (is not / are not) a police officer.

5 (Are / Is) she in the classroom? – No, she (is / isn't).

6 (Are / Is) you a good swimmer? – Yes, (I / you) am.

B 밑줄 친 부분을 바르게 고쳐 쓰세요.

1 I amn't tired. → am not

2 The kitchen not is clean. → ____________

3 Tina and I am not classmates. → ____________

4 My sisters isn't on the playground. → ____________

5 Are your dog big? → ____________

6 The boy is home now? → ____________

7 Are they sick? – Yes, we are. → ____________

8 Is he your dad? – No, he is. → ____________

Answers p.24

C 다음 문장을 부정문으로 바꿀 때 빈칸에 알맞은 말을 쓰세요. (be동사와 not은 줄여 쓸 것)

1 It is a bird. → ___It___ ___isn't___ a bird.

2 You are kind. → ______ ______ kind.

3 John is sick now. → ______ ______ sick now.

4 They are delicious. → ______ ______ delicious.

5 She is in the kitchen. → ______ ______ in the kitchen.

6 These are fresh. → ______ ______ fresh.

7 He is a math teacher. → ______ ______ a math teacher.

8 They are in the library. → ______ ______ in the library.

D 다음 문장을 의문문으로 바꿀 때 빈칸에 알맞은 말을 쓰세요.

1 You are angry. → ___Are___ ___you___ angry?

2 She is a dancer. → ______ ______ a dancer?

3 Jenny is in the soccer club. → ______ ______ in the soccer club?

4 Sam is from China. → ______ ______ from China?

5 This is her backpack. → ______ ______ her backpack?

6 They are new students. → ______ ______ new students?

7 He is in the living room. → ______ ______ in the living room?

8 They are at the park. → ______ ______ at the park?

UNIT

일반동사 현재형 1

Point Review

일반동사를 3인칭 단수형으로 만드는 규칙
- 대부분의 동사: (   )
- -sh, -ch, -s, -x, -o로 끝나는 동사: (   )
- 「자음+y」로 끝나는 동사: y → (   )

A 주어진 동사의 3인칭 단수형을 쓰세요.

	동사원형	3인칭 단수형
1	walk	walks
2	like	
3	wash	
4	go	
5	study	

	동사원형	3인칭 단수형
6	come	
7	sing	
8	teach	
9	fly	
10	have	

B 괄호 안에서 알맞은 것을 고르세요.

1 I (like / likes) chocolate cake.

2 She (have / has) two brothers.

3 He (eat / eats) sandwiches every day.

4 Mr. Jones (teach / teaches) science.

5 We (study / studies) English together.

6 My sister (go / goes) to school by bus.

7 Kevin (wash / washes) his hands often.

8 Jina and Sam (know / knows) Ms. Smith.

Answers p.24

C 주어진 동사를 빈칸에 알맞은 형태로 써서 문장을 완성하세요.

1 The car ___runs___ very fast. (run)

2 Mr. Brown __________ old bikes. (fix)

3 My uncle __________ in Jeju-do. (live)

4 Mom __________ to work by car. (go)

5 The singer __________ very well. (sing)

6 Their baby often __________ at night. (cry)

7 John __________ TV every evening. (watch)

8 Jina __________ the piano in the afternoon. (play)

D 밑줄 친 부분을 바르게 고쳐 쓰세요.

1 Emily want apple juice. → ___wants___

2 We loves action movies. → __________

3 The movie start at 3 o'clock. → __________

4 The room have two windows. → __________

5 Jenny studys Korean every day. → __________

6 The boys goes to the same school. → __________

7 Tom dos his homework after dinner. → __________

8 My sister washs her hair every morning. → __________

UNIT
10 일반동사 현재형 2

- 일반동사의 부정문: 주어+do/does+(   )+동사원형 ~.
- 일반동사의 의문문: (/   )+주어+동사원형 ~?

A 괄호 안에서 알맞은 것을 고르세요.

1 She (do / does) not like grapes.

2 I (do / does) not speak Spanish.

3 Ted (don't / doesn't) walk to school.

4 My friends (don't / doesn't) read books.

5 (Do / Does) she study hard? – Yes, she (do / does).

6 (Do / Does) the boys dance well? – Yes, they (do / does).

7 (Do / Does) Kate and Emily live here? – No, they (don't / doesn't).

B 밑줄 친 부분을 바르게 고쳐 쓰세요.

1 Is she learn Chinese? → Does

2 He doesn't swims well. → ____________

3 Kate isn't wear glasses. → ____________

4 I doesn't like tomatoes. → ____________

5 My parents doesn't eat fast food. → ____________

6 Does they play badminton in the park? → ____________

7 Does she does her homework every day? → ____________

Answers p.25

C 다음 문장을 부정문으로 바꿀 때 빈칸에 알맞은 말을 쓰세요. (do/does와 not은 줄여 쓸 것)

1 He does yoga. → He ___doesn't___ ___do___ yoga.

2 They go to school. → They ________ ________ to school.

3 Mom drinks coffee. → Mom ________ ________ coffee.

4 I want these pants. → I ________ ________ these pants.

5 She listens to music. → She ________ ________ to music.

6 You have a test today. → You ________ ________ a test today.

7 The children play soccer. → The children ________ ________ soccer.

8 My sister rides that bike. → My sister ________ ________ that bike.

D 다음 문장을 의문문으로 바꿀 때 빈칸에 알맞은 말을 쓰세요.

1 Amy likes winter. → ___Does___ ___Amy___ ___like___ winter?

2 He teaches math. → ________ ________ ________ math?

3 You have an eraser. → ________ ________ ________ an eraser?

4 The girl wants water. → ________ the girl ________ water?

5 The kids play together. → ________ the kids ________ together?

6 Your brother knows me. → ________ your brother ________ me?

7 The children speak English. → ________ the children ________ English?

8 They buy milk every day. → ________ ________ ________ milk every day?

UNIT 11

현재진행형 1

- 현재진행형의 형태: be동사(am/are/is)+동사원형-ing
- 현재진행형의 의미는?: (~하는 중이다 / ~한다)

A 주어진 동사의 「동사원형-ing」 형태를 쓰세요.

	동사원형	「동사원형-ing」
1	clean	cleaning
2	play	
3	ride	
4	cut	
5	swim	

	동사원형	「동사원형-ing」
6	go	
7	study	
8	make	
9	run	
10	lie	

B 주어진 동사를 알맞은 형태로 써서 현재진행형 문장을 완성하세요.

1 The baby ___is___ ___crying___. (cry)

2 Dad ______ ______ dinner. (cook)

3 I ______ ______ my bike now. (ride)

4 They ______ ______ a house. (build)

5 Jenny ______ ______ a book now. (read)

6 Three birds ______ ______ in the sky. (fly)

7 Mom ______ ______ a soccer game. (watch)

8 Ted and Amy ______ ______ on a bench. (sit)

공부한 날: _____ 월 _____ 일

Answers p.25

C 밑줄 친 부분을 바르게 고쳐 쓰세요.

1 They is washing their car. → are

2 Emily does making a pencil case. → ________

3 I am drink hot chocolate. → ________

4 My cousin are using my computer. → ________

5 The students are cleanning the classroom. → ________

6 Children are runing on the playground. → ________

7 My sister is plaiing the piano on the stage. → ________

D 우리말에 맞게 보기 에서 알맞은 말을 골라 문장을 완성하세요.

보기 ~~take~~ cut study sleep send wash swim eat

1 Kate는 사진을 찍고 있다. → Kate is taking a picture.

2 우리는 피자를 먹고 있다. → We ________ ________ pizza.

3 그녀는 양파를 자르고 있다. → She ________ ________ an onion.

4 그는 도서관에서 공부하고 있다. → He ________ ________ in the library.

5 나는 문자 메시지를 보내고 있다. → I ________ ________ a text message.

6 우리는 수영장에서 수영하고 있다. → We ________ ________ in the pool.

7 그 개는 의자 위에서 자고 있다. → The dog ________ ________ on the chair.

8 아빠와 나는 설거지를 하고 있다. → Dad and I ________ ________ the dishes.

UNIT 12

현재진행형 2

- 현재진행형의 부정문: 주어+be동사+(   )+동사원형-ing ~.
- 현재진행형의 의문문: Be동사+(   )+동사원형-ing ~?

A 괄호 안에서 알맞은 것을 고르세요.

1 He (is not / not is) writing a card.

2 Kate (doesn't / isn't) singing a song.

3 I (am not / isn't) eating a hamburger.

4 We (are not / not are) watching TV now.

5 (Does / Is) Tom painting a bench?

6 (Is / Are) they cleaning the windows?

7 (Is / Are) Lisa helping her mom now?

B 밑줄 친 부분을 바르게 고쳐 쓰세요.

1 Lisa isn't ride her bike. → riding

2 I is not cleaning my room. → ________

3 He doesn't taking a shower. → ________

4 Do you going to the park? → ________

5 Is the boy plays the violin? → ________

6 Does your mom jogging now? → ________

7 Are Amy and her sister make a bag? → ________

공부한 날: _____ 월 _____ 일

Answers p.25

C 다음 문장을 부정문으로 바꿀 때 빈칸에 알맞은 말을 쓰세요. (be동사와 not은 줄여 쓸 것)

1 It is raining now. → It ___isn't___ ___raining___ now.

2 The boy is dancing now. → The boy ________ ________ now.

3 We are helping Ted. → We ________ ________ Ted.

4 They are working now. → They ________ ________ now.

5 He is going to school. → He ________ ________ to school.

6 She is washing her hands. → She ________ ________ her hands.

7 My dog is playing outside. → My dog ________ ________ outside.

8 You are listening to music. → You ________ ________ to music.

D 다음 문장을 의문문으로 바꿀 때 빈칸에 알맞은 말을 쓰세요.

1 My sister is crying now. → ___Is___ my sister ___crying___ now?

2 Sam is wearing jeans now. → ________ Sam ________ jeans now?

3 The girls are singing now. → ________ the girls ________ now?

4 Dad is fixing the table. → ________ Dad ________ the table?

5 They are baking cookies. → ________ they ________ cookies?

6 You are studying Korean. → ________ you ________ Korean?

7 She is brushing her teeth. → ________ she ________ her teeth?

8 He is doing his homework. → ________ he ________ his homework?

UNIT

13 형용사

- 명사의 특징이나 상태, 성질 등을 나타내는 말: (   )
- 형용사는 명사 (앞 / 뒤)에서 명사를 꾸며 주거나, be동사 (앞 / 뒤)에서 주어를 설명한다.

A 다음 문장에서 형용사에 동그라미 하고, 우리말 뜻을 쓰세요.

1 My uncle is tall. → 키가 큰

2 I have long hair. → ____________

3 The bike is expensive. → ____________

4 The oranges are fresh. → ____________

5 My computer is slow. → ____________

6 The cute doll is mine. → ____________

7 He is wearing a blue shirt. → ____________

B 괄호 안에서 알맞은 것을 고르세요.

1 I like (her new / new her) song.

2 I want (cheap a / a cheap) cap.

3 I know (that pretty / pretty that) girl.

4 (Old this hat / This old hat) is mine.

5 The dog has (short a tail / a short tail).

6 That is (his new bike / new his bike).

7 The singer has (wonderful a voice / a wonderful voice).

공부한 날: ______ 월 ______ 일

Answers p.26

C 다음 문장의 우리말 해석을 완성하세요.

1 Those are **fast** trains. → 저것들은 ___빠른___ 기차들이다.
Those trains **are fast**. → 저 기차들은 ___빠르다___.

2 These are **fresh** eggs. → 이것들은 ______ 달걀들이다.
These eggs **are fresh**. → 이 달걀들은 ______.

3 This is a **sad** story. → 이것은 ______ 이야기이다.
This story **is sad**. → 이 이야기는 ______.

4 They are **honest** students. → 그들은 ______ 학생들이다.
The students **are honest**. → 그 학생들은 ______.

D 우리말에 맞게 주어진 단어를 배열하여 문장을 완성하세요.

1 그녀는 **유명한 과학자**이다. (scientist, a, famous)
→ She is ___a___ ___famous___ ___scientist___.

2 저것은 **우리의 새 학교**이다. (new, our, school)
→ That is ______ ______ ______.

3 Kevin은 **이 하얀 신발**이 필요하다. (white, these, shoes)
→ Kevin needs ______ ______ ______.

4 **이 더러운 방**은 Tom의 것이다. (dirty, room, this)
→ ______ ______ ______ is Tom's.

5 Jane은 **그녀의 귀여운 고양이들**을 사랑한다. (cats, cute, her)
→ Jane loves ______ ______ ______.

6 우리는 **저 작은 배낭**을 원한다. (small, that, backpack)
→ We want ______ ______ ______.

UNIT

14 부사

Point Review

- 문장에서 형용사, 동사, 부사를 꾸며 주는 말: (   )
- 빈도부사는 be동사의 (앞 / 뒤)에, 일반동사의 (앞 / 뒤)에 위치한다.

A 주어진 형용사의 부사형과 우리말 뜻을 쓰세요.

	형용사	뜻	부사	뜻
1	slow	느린	slowly	느리게
2	sad	슬픈		
3	easy			쉽게
4	happy	행복한		
5	kind			친절하게
6	fast	빠른		
7	good	좋은		

B 괄호 안에서 알맞은 것을 고르세요.

1 They swim very (good / well).

2 I am (real / really) thirsty.

3 Amy is a (good / well) student.

4 The cat walks (slowly / slow).

5 He is a (careful / carefully) driver.

6 The baby is crying (loud / loudly).

7 Sam and Lisa sing (beautiful / beautifully).

Answers p.26

C 밑줄 친 부분을 바르게 고쳐 쓰세요.

1 I ride my bike careful. → carefully
2 The boy talks very loud. → ______
3 She fixes computers easy. → ______
4 Ted plays the drums good. → ______
5 The girl jumps very highly. → ______
6 She smiles happy. → ______
7 I study quiet in the library. → ______
8 The soccer player runs very fastly. → ______

D 주어진 빈도부사를 알맞은 위치에 넣어 문장을 완성하세요.

1 They play the piano. (often)
→ They often play the piano.

2 Sam walks to school. (usually)
→ Sam ______.

3 My sister wears a skirt. (never)
→ My sister ______.

4 I am busy on weekends. (always)
→ I ______.

5 He goes to work by bus. (sometimes)
→ He ______.

UNIT
15 수량을 나타내는 표현

Point Review

- many, much, a lot of: 셀 수 있는 명사의 복수형 앞에는 ( )나 ( ), 셀 수 없는 명사 앞에는 ( )나 ( )를 쓴다.
- some, any: 대개 긍정문에는 ( ), 부정문과 의문문에는 ( )를 쓴다.

A 괄호 안에서 알맞은 것을 모두 고르세요.

1 many (toys / time / dogs)

2 much (pens / water / bread)

3 a lot of (cups / coffee / pencil)

4 (many / much / a lot of) books

5 (many / much / a lot of) money

6 (many / much / a lot of) sugar

B 괄호 안에서 알맞은 것을 고르세요.

1 We want (some / any) bread.
We don't want (some / any) milk.

2 She needs (some / any) pens.
She doesn't need (some / any) books.

3 He buys (some / any) tomatoes.
He doesn't buy (some / any) apples.

4 They have (some / any) money now.
They don't have (some / any) time now.

5 I want (some / any) eggs.
I don't want (some / any) salt.

Answers p.26

C 밑줄 친 부분이 맞으면 O 표를 하고, 틀리면 바르게 고쳐 쓰세요.

1 I want some orange. → oranges
나는 오렌지 몇 개를 원한다.

2 He doesn't eat any onions. → ______
그는 양파를 전혀 먹지 않는다.

3 They bake many bread. → ______
그들은 많은 빵을 굽는다.

4 My dad meets much people. → ______
우리 아빠는 많은 사람들을 만난다.

5 We have a lot of snows in winter. → ______
우리는 겨울에 눈이 많이 온다.

6 She doesn't put any sugar in her coffee. → ______
그녀는 커피에 설탕을 조금도 넣지 않는다.

D 우리말에 맞게 주어진 단어를 바르게 배열하여 문장을 완성하세요.

1 우리는 오늘 숙제가 많지 않다. (today, much, don't have, homework)
→ We don't have much homework today.

2 그 소년은 많은 책을 읽는다. (books, reads, many)
→ The boy ______________________.

3 Lisa는 우유에 꿀을 약간 넣는다. (honey, puts, in the milk, some)
→ Lisa ______________________.

4 Paul은 연필이 하나도 없다. (any, doesn't have, pencils)
→ Paul ______________________.

5 그는 매주 많은 달걀을 산다. (buys, every week, a lot of, eggs)
→ He ______________________.

UNIT
16 There is / are

- There is/are ~의 의미: '(   )'
- There is 뒤에는 (단수 / 복수) 명사, There are 뒤에는 (단수 / 복수) 명사를 쓴다.

A 빈칸에 알맞은 be동사를 써서 문장을 완성하세요.

1 There ____is____ a ball on the table.

2 There ________ a clock on the wall.

3 There ________ 12 months in a year.

4 There ________ a hospital in our town.

5 There ________ many caps in the shop.

6 There ________ some bread in the basket.

7 There ________ five eggs in the refrigerator.

B 괄호 안에서 알맞은 것을 고르세요.

1 There is (a pond / ponds) in the park.

2 There is (a phone / phones) on the table.

3 There are (a chair / two chairs) in the room.

4 There are (a book / many books) on the desk.

5 There are (an umbrella / umbrellas) in the box.

6 There is (a teacher / teachers) in the classroom.

7 There is (a window / two windows) in the kitchen.

Answers p.27

C 밑줄 친 부분을 바르게 고쳐 쓰세요.

1 There are some sugar on the table. → is

2 There is five pencils in the pencil case. → ________

3 There aren't a flower in the vase. → ________

4 There are some water in the bottle. → ________

5 Are there a boy in the picture? → ________

6 There are some apple in the refrigerator. → ________

7 Is there a banks near here? → ________

8 Are there any cheese in the sandwich? → ________

D 다음 문장을 우리말로 해석하세요.

1 There is a cat on the sofa. → 소파 위에 고양이가 있다.

2 There is water in the glass. → 잔에 ________.

3 There are many fish in the pond. → 연못에 ________.

4 There is much paper in the bag. → 가방에 ________.

5 There is a plane in the sky. → 하늘에 ________.

6 There are flowers in the garden. → 정원에 ________.

7 There is a bench under the tree. → 나무 아래에 ________.

8 There are monkeys in the zoo. → 동물원에 ________.

MEMO

MEMO